夢・うつ病・音楽・超能力

犬と人の生物学

スタンレー・コレン：著
三木直子：訳

築地書館

Do Dogs Dream?
by Stanley Coren

Japanese translation by Naoko Miki
Published in Japan by
Tsukiji-Shokan Publishing Co., Ltd., Tokyo

はじめに

ほとんどの人は、飼っている犬に聞いてみたいことがたくさんあるはずだ——彼らの行動や、祖先や、彼らの性質について。残念ながら犬は秘密を秘密のままにしておきたいらしく、私たちの質問に直接答えてはくれない。

私は、心理学者として、また動物行動学者として、もう五〇年近く犬の行動について学び、研究している。犬に関する著作は十数冊、書いた記事は数百におよび、さらに、カナダ全国で一〇年以上放映された"Good Dog!"という出演番組もある。そうやって犬のことをさんざん研究しているのを知っているものだから、人はしょっちゅう私に、自分の犬の妙な性癖について聞きたがる。犬が日頃、繰り返し見せる奇妙な行動を説明してほしいのだ。そのもしゃもしゃの頭の中ではどんな知的活動が起こっているのか、それに加えて、犬の特徴や性格や気持ちが知りたいのである。

何度も何度も繰り返される質問がある。まるでそれが、人間にとって一番大切なペットである犬について、私たちが知りたいことの核になる情報であるかのように。そしておそらくは犬たちも、人間とじっくり話ができるなら、それを知ってもらいたいのかもしれない。この本は、そういう質問に答えようという試みだ。それと一緒に、犬について研究者たちが発見した、興味深いけれどもどういうわけかあまり知られていない事実もご紹介しようと思う。

目次

PART 1 犬は世界をどんなふうに認識しているか？

PART 2

犬は本当に、考えたり感じたりするのか？

PART 3

犬はどうやってコミュニケーションをとるのか？

PART 4

犬はどのように学ぶのか？

PART 5

子犬と老犬は特別な存在か？

PART 6

私の犬が私に伝えたいその他のこと

PART 1

犬は世界を
どんなふうに認識しているか？

犬には色彩が見えるか？

「犬は色盲である」という単純な言い方は、犬には色彩が見えず、グレーの濃淡で物を見る、というふうに誤って解釈されてきた。だがそれは間違いだ。犬にも色彩は見える。ただし、犬が見る色彩は、人間が目にする色彩ほど鮮やかでも多様でもない。

人間の目にも犬の目にも、「錐体視細胞《すいたい》」と呼ばれる光を捉える細胞があって、それが色彩に反応する。犬の錐体視細胞の数は人間よりも少なく、それはつまり、彼らの色覚が、私たち人間の色覚ほど豊かでも強烈でもないことを示している。だが、色を見るしかけは錐体視細胞の数だけが問題なのではなくて、数種類の、それぞれ違う光の波長に合った錐体視細胞があるかどうかなのだ。人間は三種類の錐体視細胞を持っていて、その活動の組み合わせのおかげで、人間の視覚に特徴的な、幅広い色彩を見ることができる。

人間の色覚異常の中で最も一般的なものは、三種類の錐体視細胞のうちの一つが欠けていることが原因で起きる。錐体視細胞が二種類しかない人は、ある程度の数の色彩は見えるが、正常な色覚を持っている人よりはずっと少ない。犬もこれと同じで、錐体視細胞が二種類しかない。

カリフォルニア州立大学サンタバーバラ校のジェイ・ナイツは、犬の色覚についての実験を行なっている。犬に、異なる色の光を当てた三枚のパネルを並べて見せる。うち二枚は同じ色で、一枚だけ色が違う。犬の仕事は、色が違う一枚を鼻で押すことだ。正解すると、そのパネルの下についているカップに、コンピュータ制御でおやつが出てくるしかけである。

ナイツは、犬には色彩が見えること、ただし、見える色の数は人間よりもはるかに少ない、ということを確認した。虹の七色は、紫・青・青緑・緑・黄色・オレンジ色・赤ではなく、犬には、濃い青・明るい青・グレー・薄い黄色・濃い黄色（茶色に近い）・濃いグレーに見える。つまり、犬に見える世界は基本的に、黄色と青とグレーなのだ。犬にとっては、緑、黄色、オレンジ色はどれも黄色っぽく、紫と青はともに青く、青緑はグレーに見える。

面白いことに、最近人気が高い犬のおもちゃは、赤や、蛍光オレンジ（トラフィックコーンや安全チョッキの、明るいオレンジ色）のものがほとんどだ。だがじつは、赤は犬の目には見えにくい。犬にはそれが、非常に濃い、茶色がかったグレーか、あるいは黒に見えているかもしれないのである。これはつまり、あなたにとってはよく目立つ犬のおもちゃが、あなたの犬にはよく見えていないことが多いかもしれないということだ。あなたの名犬ラッシーが、あなたが投げたおもちゃをさっさと通り越して走っていってしまったら、それはあなたの犬が頑固だとか頭が悪いとかいうことではなくて、犬にとっては芝生と区別がつきにくい色のおもちゃを選んだ、あなたが悪いのだ。

犬の視力はどれくらい？

視力、というのは、どれくらい小さなもののディテールまで認識が可能か、という尺度のことだ。視力を測るのには、視力検査表（眼科の診察室の壁にかかっている、一番上の行に大きな「E」の文字が書いてある視力表）を使うのが最も一般的だ。この視力表は、一八〇〇年代後期にヘルマン・スネレンが作ったもので、「スネレン視力表」と呼ばれている。この視力表に使われている記号は、正式名称を「オプトタイプ」といって、ブロック体の文字のように見え、文字として読むようにできている。が、オプトタイプはどんな書体にも属さない。独特のシンプルな形をしていて、線の太さ、間隔、余白などが注意深く定められ、はっきり見えなければ文字として読み取りづらいようにできている。文字（と、文字の形を決める周りの余白部分）は、表の下にいくにつれて徐々に小さくなっていく。あなたが読める一番小さい文字のある列が、あなたの視力――より具体的に言えば、ディテールを解読する能力を示しているということになる。

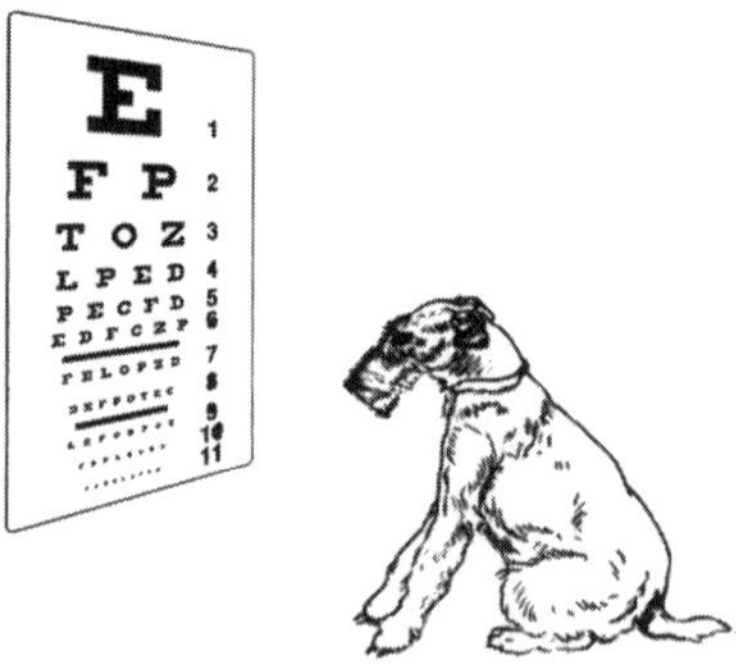

ある人の視力の数字は、正常視力があるとされる人との比較で決まる。視力表から二〇フィート（六メートル）離れたところでテストを受け、正常視力の人と同じ列の文字が読めれば、スネレン指標では

20/20（メートル法を使う場合は6/6）〔訳注：日本式に換算すれば一・〇〕となる。それほど視力がない人は、その距離で読むためには文字がもっと大きくなければならない。たとえば、二〇フィート離れたところからやっとなんとかあなたに読める文字を、正常視力を持った人が四〇フィート先から読めるとすると、あなたの視力は20/40（または6/12）〔訳注：日本式の〇・五〕となる。

もちろん、犬に文字を読んでもらうことはできないから、犬の視力を測るには別のテクニックを使う。犬に、あるパターンを構成するディテールが見えるかどうかを示させるテストだ。テストに使うパターンは、等幅の、白黒の縦ストライプで構成されるシンプルなものだ。このパターンを、グレー一色のパターンと並べて見せる。ストライプのパターンが見えるだけの視力があって、そのパターンを正しく選べた犬は、ご褒美をもらえる。グレーの方を選んだ犬は何ももらえない。次に、縦ストライプを徐々に細くしていく。視力表の文字がだんだん小さくなるのと同じことだ。やがてストライプはあまりにも細くなりすぎて、犬の視力ではストライプがあるかどうかがわからなくなる。するとストライプはぼやけ、にじんで、ストライプのカードもグレー一色のカードも同じに見える。この状態までストライプの幅が狭くなると、それが犬の視力の限界だ。犬の目に識別可能なストライプの幅は、人間の視力検査に使う視力表から得られるのと同様の、スネレン指標に換算することができる。

こうやって測って記録された視力のうち、これまで最も高かったのは、ドイツのハンブルクで検査を受けたプードルだ。だが、その視力でさえかなり低い――その犬には、人間に見える最も狭い幅の六倍近い幅があるストライプでできたパターンしか識別できなかったのだ。この結果を、もっと一般的な指標に置き換えると、犬の視力は20/75〔訳注：〇・二七〕にすぎないようである。つまり、二〇フィート

（六メートル）離れたところにいる犬がギリギリで認識できるパターンは、正常視力の人間には、七五フィート（二三メートル）の距離から見えるほど大きいのだ。この視力がどれほど低いものかは、たとえばあなたの視力が20/40〔訳注：〇・五〕以下ならば、アメリカで運転免許を申請する際の標準視力検査には不合格で、メガネをかけることが要件になる、という事実を考えればわかるだろう。犬の視力は、その20/40よりはるかに低いのだ。

だが、こういう数字に騙されてはいけない。犬の視力は普通の人間の視力よりかなり劣るものの、それでも犬の目からはたくさんの情報が脳に届く——ただちょっと焦点が甘くて、犬には識別できないディテールが多いだけだ。非常に目の細かいガーゼとか、ワセリンを薄く塗ったセロファンを通して世界を見ているような感じである。物体の全体としての輪郭は見えるのだが、その中にあるディテールの多くは、ぼやっと見えたり、まるで見えないこともあるのである。

犬の目はなぜ暗闇で光るのか？

夜、犬の目に自動車のヘッドライトや懐中電灯の光が当たると、不気味な黄色や緑色に光り、地獄の番犬か何かみたいに見えるのにお気づきかもしれない。その理由は、犬の祖先である野生のイヌ科動物が「薄明活動性」の動物であったことと関係がある。つまり彼らは通常、夕暮れ時や明け方に活発で、だから薄暗い光の中でよく見える目が必要なのだ。そういうわけで、犬の目は人間の目とは少々異なっている。

カメラのことを思い浮かべると、目のことが理解しやすい。あなたの目も、カメラも、光が入る穴（カメラの開口部、目では瞳孔）と、光を集めて焦点を合わせるためのレンズと、画像を結ぶための、感光性のあるなんらかの面（カメラならフィルムや発光検出装置、目では網膜）が必要だ。目も、カメラも、さまざまな光の状況に適応するための仕組みが必要だし、どちらもともに、暗いところでよく見えることと、細部まで見えることの間のどこかで常に妥協している。犬の目は、それが構築される過程のあらゆる段階で、周囲の細部や詳細を見る能力を犠牲にして、光度が低いところでよりよく見えるような選択をしてきたように見える。

光を採り入れることに関して言えば、犬の瞳孔は、ほとんどの人間の瞳孔に比べてずっと大きい。犬

の中には、大きく広がった瞳孔が目のほとんどを満たし、色のついた虹彩《こうさい》が瞳孔をわずかに縁取ってい
るのが見えるだけのものもいる。レンズも人間より大きいので、犬の目は、集光力も人間より高い。
たくさんの光を集めるためには、レンズは大きくなくてはならない。だから、たとえばカリフォルニアのパロマー天文台にあるような天体望遠鏡には、直径五メートルもあるレンズがついているのだ。人間と犬の場合、事実上、二つの部分がレンズの役割を果たしている。一つは「角膜」で、目の正面に出っ張っている透明の部分だ。実際に光を集めるのがこの角膜である。二つ目は「水晶体」といって、瞳孔の後ろにあり、光の焦点を変化させる役割がある。薄暗い中で活発な動物は普通、角膜が大きい。人間と比べて、あなたの犬の角膜が大きいことにお気づきだろう。この大きさのおかげで、よりたくさんの光が集められ、処理されるため目に送られるのだ。

瞳孔と水晶体を通過した光は、最終的に網膜上で像を結ぶ。ここで光の大部分は、「視細胞」と呼ばれる特殊な神経系細胞に捉えられ、認識される。人間と同じく、犬の網膜には二種類の視細胞がある。細くて長い「桿体《かんたい》細胞」と、短くて太く、先細りになっている「錐体細胞」だ。桿体細胞は薄暗いところで機能するように特化している。はたして犬の目は、人間と比べて桿体細胞の割合が高い。だが犬にはもう一つ、夜間の狩りが必要とするものを満たすための、人間にはない仕組みが備わっている。

さてそこで、夜、犬の目に光が当たると不気味な黄色や緑色のヘッドライトのように光る理由だが、この色は、網膜の後ろにあって鏡のような役割を果たす「タペタム（輝膜《こうまく》）」からくるものだ。タペタムの表面は光沢があり、光受容細胞が吸収しなかった光を網膜に跳ね返して、光受容体に、目に入ってくるかすかな光を捉える二度目のチャンスを与えるのだ。

光を跳ね返すだけではない。「蛍光発光」と呼ばれる光電現象によって、タペタムは実際に光を増幅させる。蛍光発光は、光の輝度を高めるだけでなく、反射された光の色も若干変化させる。その結果、光の波長は、桿体細胞が最も敏感に反応し、感知しやすい波長に近づく。それが黄色がかった緑色なのである。

タペタムが跳ね返す光は目の感度を高めるが、そのために犠牲になるものもある。目の後方にあるこの反射面には、さまざまな方向から光が当たる。光は射しこんだ進路とまったく同じ方向に戻るのではなく、ビリヤード台の縁に当たったボールのように、別の角度に跳ね返る。入ってくる光と出ていく光の方向が違うので、網膜上の画像はにじんだようになって、ちょっとぼやけて見える。つまりこうやって、犬の目は明らかに、細部をはっきり見る能力を犠牲にして、暗いところでも見える機能を選んだのだ。

犬はテレビで見ているものを理解しているのか?

自分の犬はテレビに映っているものを完全に無視する、と言う人は大勢いるし、かと思えば、自分の犬はよく、テレビ画面に夢中になっている、と言う人もいる。犬がテレビの番組に注意を向けるかどうかにはさまざまな要素が関係しているが、主なものはその犬の視覚能力だ。私たちがテレビの画面で見ている出来事を、一番シンプルな形に単純化すると、その動きは、私たちの目の中の網膜上で変化する光のパターーンにすぎなくなる。網膜の細胞の一つひとつをとってみれば、動いている物体は光のちらつきに見える。見ている物体の画像が目の中の視覚受容体を通過する際に一瞬、明るくなったり暗くなったりするのだ。このため、行動科学の研究者たちはよく、ちらつきを感知する能力によって、その人の視覚系がどれくらいの速さで事象を認識できるか、また運動知覚能力がどれくらいかを測るのである。

ちらつき感度を測るには、点滅する光を当てたパネルを見る。点滅の頻度が高いと、「閃光融合《せんこう》」が起き、パネルには一定不変の光が当たっているように見える。たとえば蛍光灯は変化のない光を継続し

て発しているように見えるが、じつは一秒間に一二〇回（光っているときといないときのセットで一回と数える）という速さで点滅している。実験では、光が点滅しているかどうかを見分ける能力を測るには、その人が光のちらつきを認識できるところまで点滅速度を徐々に下げていく。人間がこの検査を受けると、平均的な人は、一秒に五五回の点滅を大きく超えるとちらつきは見えない。普通に光っている蛍光灯の約半分の速度だ。（専門的には、一秒間のサイクル数をヘルツと呼び、Hzと表記する。）これと同じことを犬にさせて検査することが可能だ。平均すると、ビーグル犬は七五Hzまでは点滅を見分けることができる――人間の目に見える速度より約五〇パーセント速い。

人間より犬の方がちらつきを認識する能力が高いという事実は、犬の方が人間よりも動きをよく認識するというデータとも一致する。また、よく聞かれるこんな質問の答えにもなる。つまり、なぜたいていの犬は、テレビに映っているものに――それがたとえ犬の映像であっても――興味を示さないのか？というものである。その答えはこうだ。ブラウン管式テレビの画面は、一秒に六〇回更新されている。これは人間が持つ、五五Hzというちらつき感度を超えているので、連続する画像はなめらかにつながって途切れなく見える。だが犬は、七五Hzでもちらつきを感知できるので、犬にとってはテレビの画面はおそらく、高速で点滅しているように見え、映像は本物には見えず、したがって多くの犬は興味を示さないのだ。それでも、犬やその他の動きのある映像で、それが十分に興味の対象となるものであれば、テレビのちらつきを意に介さず、映像に反応する犬もいる。だが、技術の変化によって、テレビを見る犬の数に変化が起きつつある。高解像度のデジタル画面は画像の更新速度がブラウン管よりずっと速いので、犬にとってもちらつきが少ないのだ。ペットの犬が、自然関連の番組に登場する動物の動きに非常に興味を示す、という報告が増えている。

とは言え、画面に犬が映っていたり、他の動物が勢いよく走っていたりすると反応するのに、アニメに出てくる犬には反応しない、と驚く人がいる。この違いは、じつは犬がどれほど目が良く、どれほど正確に画像を解釈しているかの証しだ。アニメの犬を見ると、犬はそれが動いていることは認識する。だが、アニメの動物の動きは生きた動物の動き方を正確には再現していない。だから犬には、何かが動いているのは見えるが、それが犬をはじめとする、興味の対象となる本物の動物ではないことがわかるのだ。

犬の聴覚はどうやって調べるか？

最近になって革新的な科学技術が登場するまで、犬に何が聞こえているかを調べるのは困難だった。人間の聴覚を知りたければ、検査の方法は単純だ。さまざまな周波数（高音、低音、中音）と強さの音を聞かせ、聞こえるかどうか尋ねればいい。だがこれと同じような行動論的方法を使って犬（あるいは他の動物）の聴覚を調べるには、調べる人間はまず、試験動物が音の出所に反応するよう訓練しなくてはならない。具体的には、犬の右側と左側にスピーカーとパネル（またはレバー）がある試験装置に犬を入れる。実験者は無作為に、どちらかのスピーカーから音を出す。音を聞いた犬は、どちら側から音が聞こえたかを判断しなくてはならない。判断したあと、正しいスピーカーの下にあるレバーを押せば、そのスピーカーの下にあるカップにおやつが出てくるが、判断が間違っていれば、その回の実験ではおやつはもらえない。この方法を使った訓練と実験はうんざりするような退屈なもので、何週間にもわたる訓練と何百回もの実験が行なわれる。

近年では、犬の聴覚を測るのに、「聴性脳幹反応」と呼ばれる聴覚検査が使われるようになっている。これは、内耳（蝸牛《かぎゅう》）と、音を脳に伝える神経経路の電気的活動を検出するものだ。犬の頭皮に小さな電極を装着し、イヤホンあるいは小型の放音装置を耳の中に挿入する。不快で痛そうに聞こえるが、

そんなことはなく、落ち着きのない、あるいは神経質な犬の場合は鎮静剤で軽く落ち着かせる必要があるが、気性がおっとりした犬なら簡単に実施できる。

検査では、短い音を聞かせ、コンピュータが脳の反応を記録する。脳が音に反応したかどうかを判断するのはコンピュータである。脳が反応しなければ、犬にはその音が聞こえなかったと考えることができる。この方法の利点は、長時間かけて犬を訓練する必要がないことだ。それどころか、犬には何が起きているのかわからなくてもかまわない――研究者は単に、音に対する脳の反応を見ているのだから。

だがじつは、飼っている犬の行動を観察するだけでも、老犬に起こりやすい聴覚の衰えに気づくことはできる。犬の聴覚の衰えの最初の兆候としてよくあるのは、音の出所が正確にわからなくなることだ。たとえばあなたが犬を呼んだときに、犬があなたを見つけられず混乱する、という形で表われることがある。犬はおろおろとあたりを見回し、あなたの姿を見つけてからやっとあなたの方に来る。あるいは、大きな音がすると、まず顔を間違った方向に動かし、音がしたのと反対側を向くこともある。あなたの犬が、片方の耳はまだ聞こえていて、もう片方が聞こえなくなっていることを示す顕著な症状は、こうした音源定位感〔訳注：音源の位置を、目を使わずに耳で特定する力〕の喪失だけである場合がある。

あなたの犬の聴覚が心配なら、自宅でできる簡単なテストがある。まず、犬の後ろの、犬には見えないところに立って、キーキー音を出すおもちゃを鳴らしたり、口笛を吹いたり、手を叩いたり、金属製のスプーンで鍋を叩いたりしてみる。聴覚が正常な犬なら、音源の方角に耳をそばだてたり、頭や体をそちらに向けたりする。あなたの体が犬の真上にくる位置には立たないように気をつけること――犬は空気の流れにとても敏感で、あなたの動きや波動を、自分のすぐ後ろの床を通して感じるかもしれないからだ。また、あなたが音を立てる前に犬があなたを見ることのないように気をつけなくてはいけない。場合によっては、犬が眠っているときにこのテストをするとよい。犬があなたの動きに反応している、という可能性を低くするためだ。

とても幼い子犬の聴覚を家でテストするのは賢明ではない。犬の素晴らしい聴覚は、生まれたときにはまだ完全に成熟していないからだ。生後一一日から三六日の子犬の聴覚の測定結果は、犬の聴覚が、生まれたときから機能はしているものの、最初の一、二か月で成長とともに向上することを示している。もう一つ興味深いのは、子犬は、高周波音を聞き取る力の方が、低音や中音を聞く能力よりも早く発達するということだ。だから、子犬の聴覚が心配な場合は、テストをするのは生後五週間くらい経ってからにしよう。

犬の耳は、鋭い高周波音を聞き取れるようにできている。犬の聴覚で最もよく機能するのが高音を聞く力だし、聴覚が衰える際に最後に失われるのがこれである。だから、すでに人間の声は理解できなくなっている犬でも、手をぴしゃりと叩いたり、口笛や指笛などを鋭く、大きく鳴らしたりすると、耳をそばだてたり、そちらに顔を向けたりして、まだあなたの合図が聞こえているのがわかることが多いのだ。

人間と比べて犬の聴覚はどれくらい？

インターネットで調べると、犬の聴覚は人間の四倍鋭いと書かれているのをよく目にすると思うが、これは厳密には正しくない。この主張は、P・W・B・ジョスリンが非公式に行なった、アルゴンキン公園〔訳注：カナダ、オンタリオ州〕に棲むシンリンオオカミの調査がもとになっている。ジョスリンによれば、捕獲したシンリンオオカミは、ジョスリンが真似た遠吠えの声に六・五キロ離れたところから反応したが、同僚の人間たちの耳には、静かな夜でさえ、その声は約一・六キロ以上離れると届かなかったのである。おそらくは、オオカミが、人間と比べて四倍遠く離れたところからの音を聞くことができたという事実がこの解釈を生んだのだろう。だが本当のことを言うと、ある種の音については犬と人間の聴覚はほぼ同じだが、音の種類によっては、犬の聴覚は人間の数百倍も優れているのである。

前項でも述べたように、聴性脳幹反応検査が開発されるまでは、犬に何が聞こえているかを調べるのは困難だった。この新しい手法を用いて、犬の聴覚の電気生理学的テストを大々的に行なった結果、驚いたことに、人間の話し声を構成する中音域の周波数については、犬と人間の聴覚感度はほぼ同一だったのである。低音域についてはむしろ人間の方が聴覚が鋭い。音の強さはデシベル（dBと表記）で測られ、ゼロdBというのが、若年層の人間にやっと聞こえる平均的な音の大きさである。ゼロdBより小さい

音は数値の前にマイナス記号がつき、平均的な人間の耳には小さすぎて、通常聞こえない音であることを意味する。周波数が二〇〇〇ヘルツ（Hz）以下、約六五Hzという低音までの間の音については、人間と犬の聴覚感度はほぼ等しい。だが、三〇〇〇Hz以上一万二〇〇〇Hzまでの音になると、犬は平均してマイナス五からマイナス一五dBの音を聞くことができる。つまり、こういう高周波の音に関しては、犬の方が人間よりかなり聴覚感度が鋭いということだ。さらに一万二〇〇〇Hzを超えた音域になると、人間の聴覚は犬と比べてはるかに劣るため、数字で比較することさえ意味がなくなる。

これがどういうことかをよりよく把握するために理解していただきたいのは、若い人間の場合、大まかに言って、二万Hzまでの音を聞き取れる、ということだ。この、聞き取り可能な最高音を出すピアノがほしいと思えば、鍵盤の右側にあと二八個の鍵（約三・五オクターブ）を加えなくてはならない。だが、そんなことをしようと思わない方がいい――そんな高音はほとんどの人にはどうせ聞こえないのだから。私たちが歳をとるにつれて、耳の中の器官は、叩きつけられる音波によって損傷を受け、まず高音から聞こえなくなる。大きな音に耳をさらしていると（ロックのコンサートに行きすぎたり、CDを大音量で長時間聴きすぎたり）、聴覚はあっという間に低下し、特に高音域でそれが顕著なので、一万六〇〇〇Hzを超える高音が聞こえる大人はほとんどいないのだ。

犬は、人間よりもかなり高い音を聞くことができる。一番高い音は、犬の特性によって、四万七〇〇〇から六万五〇〇〇Hzの間である。先ほどのピアノの例で言えば、犬に聞こえる最高音を出すには、鍵盤の右にあと四八個の鍵を加えなければならず、そのうち一番高い二〇音は、どんなに聴覚が鋭くても人間には聞こえない。

人間よりも犬の方が聴覚に優れ、特に高音域がよく聞こえるという事実は、日常的な音――たとえば掃除機の音や芝刈り機のモーター音、それにさまざまな動力工具の音など――を犬が嫌がる理由を説明してくれる。この手の機械の多くは、ファン、ブレード、ビットなどを動かすモーターに、高速で回転するシャフトがついている。こういう仕組みは、高周波の、強烈な金切り音を出すことがあり、犬の耳にはそれが、苦痛なほどに大きく聞こえるのだ。一方、それほど鋭くない人間の耳にはそういう音は苦痛でも何でもない――こうした金切り音は、私たちの耳が感知できる周波数よりもずっと高いからだ。

犬の耳に、非常な高周波数域の音が聞こえるのは、彼らの野生の祖先が進化した歴史によるものだ。オオカミ、ジャッカル、キツネなどは、ネズミ目の小動物を餌食にすることが多い。こうした小動物は、高音の金切り声を上げるし、木の葉や草の中を走り回って、葉をカサカサ言わせたり、ものを引っ掻くような、高周波の音を立てる。オオカミなど、野生のイヌ科動物の一部は、シカ、野生のヒツジ、レイヨウなど、もっと大きい獲物も仕留めるが、実地調査によれば、オオカミの多くは夏の間ネズミ目の動物を主食とし、たまにウサギを食べるということがわかっている。つまり、こうした小動物が立てる高周波音を聞き取る力があるかどうかは死活問題であり、イヌ科動物の中でも高周波聴力を発達させたものだけが、生存・繁栄できる可能性が高かったのだ。食べるもののすべてを小さなネズミ目の動物に頼っている猫は、犬が聞き取れる最高音より五〇〇〇～一万Hz高い音を聞き取ることができる。

犬の嗅覚はどれくらい鋭いか？

犬の鼻は、顔の中で一番大きいだけでなく、脳内でも最も重要だ。人間の脳が、目から入ってくるデータと、光を通して収集された情報を分析することに最も重点を置いているのに対し、犬の脳は、匂いから情報を得ることを重視するようにできている。犬の脳のうち、匂いの分析にあてられる部分は、比率で言えば人間の脳の四〇倍もある。

犬は、匂いを嗅ぐために人間より積極的に行動する。香りがぷかぷかと鼻に入ってくるのを待っているのではなくて、人間にはない、ある能力を使うのである。まず、犬は左右の鼻孔を別々に、ひくひくと動かすことができ、おかげで匂いがどちらの方向からくるかを特定しやすい。犬にはまた、普通の呼吸とは非常に異なった、特別に匂いを嗅ぐ能力がある。ある匂いがする方向に鼻を向けると、犬は普段の呼吸を積極的に中断する。吸いこんだものが、匂いを含んだ空気を閉じこめて息を吐いたときに外に流れ出ないように設計された、鼻の中にある骨質の棚のような構造を通過するようにするためだ。この仕組みによって、匂い分子は鼻の中に残り、犬にそれがなんの匂いかがわかるくらいまで蓄積するのである。

犬の鼻にある骨質の板状のものは、厚くて多孔質の皮膜（嗅粘膜）に覆われていて、そこに、嗅細胞と、匂いの情報を脳に伝える神経のほとんどが集中している。人間の場合、こうした匂い分析物質が含まれる皮膜の面積は約六・五平方センチ、切手ほどの大きさだが、もし犬の鼻の中のこれに相当する部分を平らに広げることができたなら、その大きさは約五八〇平方センチで、A4サイズの紙ほどの大きさになるかもしれない。一つにはこの、嗅細胞の数の差によって、犬が匂いを嗅ぎ分ける能力は、人間の一〇〇〇倍から一万倍優れていると推定されている。

犬はほとんどどんな匂いに対しても人間より敏感だが、中でも、動物に関係した匂いについては特に感度が高い。このことはあなたにも想像がついたかもしれない——犬は狩りをする動物で、獲物が残す匂いには敏感で然るべきだからだ。たとえば一つの例として、汗の成分である酪酸《らくさん》の匂いに対する人間の感度を、犬の嗅覚と比較してみよう。人間は、酪酸の匂いには比較的敏感で、五〇〇〇万分の一グラムが一立方メートルの空気中に蒸発した程度の、かなり低い濃度でもその匂いを感知できる。なかなか素晴らしいが、仮にこれと同じ量の酪酸を一〇〇〇立方メートル弱の水に溶かしても、犬はそれを感知できる、という事実を考えてみよう。一グラムの酪酸なら、一〇階建てのビルほどの容量の空気中に蒸発させても人間の鼻にはそれがかろうじて感じられる。同じく一グラムの酪酸を、広さ三五〇平方キロメートル、高さ九〇メートルの空間に分散させても、犬にはまだその匂いがわかる。これは、フィラデルフィア市をすっぽり包む広さである！　フィラデルフィア市には約一五〇万人が住んでおり、その全員が汗をかく（典型的に暑くて湿度の高い夏の日は特に）わけだから、犬にとってこの大都市はどんな匂いがするのか、想像すると興味深い。

犬の種類によって嗅覚に差はあるか？

すべての犬は嗅覚が優れているが、選抜育種をすることでその能力をさらに高めることができる。ビーグル、バセット・ハウンド、ブラッドハウンドなどは、匂いに対する敏感さの少なくとも一部は遺伝子によって決まるということを示す良い例だ。これらの犬種は、匂いを感知し嗅ぎ分ける特別な能力を持つだけでなく、匂いを追い、その跡をたどり、探索することに情熱を燃やす、匂いのスペシャリストとして育種されてきたのである。

犬の鼻の中の、匂いを検出する細胞（嗅細胞）を含む篩骨《しこつ》は、犬の鼻全体の大きさによってその大きさもさまざまだ。長くて幅の広い鼻を持つ犬ならその面積も大きいし、パグやペキニーズのように鼻が小さくて平らな顔をした犬は、鼻のこの部分の面積が小さいため、嗅細胞の数もそれほど多くない。たとえば、ダックスフントの嗅細胞が約一億二五〇〇万個であるのに対し、フォックス・テリアは一億四七〇〇万個、ジャーマン・シェパード・ドッグは二億二五〇〇万個である。

一部の犬種、中でも「嗅覚ハウンド」と呼ばれる種類の犬は、与えられたスペースにできるだけたくさんの嗅細胞をつめこむために、たとえ体はさほど大きくなくても、幅が広くて奥行きのある鼻をしている。だから、匂いに非常に敏感なビーグルは、普通、体重一四キロ程度、体高三十数センチにすぎな

いが、体重三四キロ、体高六〇センチと、ビーグルの倍も体が大きいジャーマン・シェパード・ドッグと同じく、二億二五〇〇万個の嗅細胞を持っている。だが嗅覚の王者はブラッドハウンドだ。彼らの大きな鼻の中には、約三億個の嗅細胞がある。

では、犬の嗅細胞の数は人間と比較するとどうなのだろう？　人間の嗅覚はあまり鋭くない。それは一つには、人間の鼻には嗅細胞がたったの五〇〇万個しかないからだ。言い換えれば、平均的な人間の鼻には、小さなビーグルの鼻にある嗅細胞数の、わずか二パーセントしかないのである。

犬の嗅覚には、もう一つ特異な点がある。理由ははっきりとはわからないのだが、オスの方がメスよりも匂いを嗅ぎ分ける力に勝っているようなのだ。一部の研究者によれば、これはオスの鼻の方がメスの鼻よりも感度が高いからではなくて、単にオスの方が、発情期、あるいは性交させてくれそうなメスの発する香りなど、匂いへの関心と集中度が高いだけなのかもしれない。

犬はガンを発見できる?

犬がガンを見つけた、という事例報告は多数ある。たとえばシカゴに住むアーリーン・ゴールドバーグもその一例だ。彼女はまさに、愛犬のコッカー・スパニエル、ダフィーに命を救われたのである。ダフィーは、彼女の体に飛び乗り、背中の、首の付け根に近いところにあるほくろの匂いを嗅いだり、齧ろうとしたり、という困った癖がついた。ダフィーがあまりにもしつこいので、アーリーンがこのことをかかりつけの医者に話したところ、医者はほくろを切除してそれを生体検査にかけた。数日後、アーリーンは再び病院に行き、周囲の皮膚を切除した。そのほくろはメラノーマ（悪性黒色腫）であることがわかったのだ。転移すればアーリーンは死んでいたかもしれなかった。アーリーンのような事例を分析した一連の医学報告が、権威ある医学雑誌『ランセット』に初めて掲載されたのは、一九八九年のことである。以来、数々の管理された実証研究によって、犬には、従来の医学的検診と同等かそれ以上の、ガンの存在を検知する能力があることが確認されている。

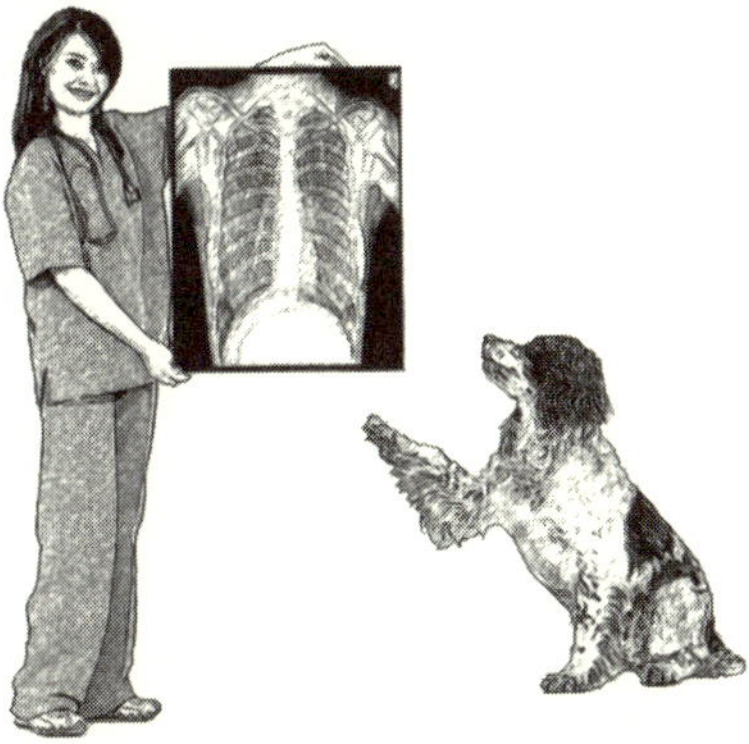

初期の研究の一つは、ガンの検知のために犬を医療の場で使えないかと考えたフロリダ州の皮膚科学

者、アルマンド・コニェッタが行なったものだ。一九九六年、コニェッタは、ジョージという名の、七歳の（爆発物探知犬を引退したばかりの）シュナウザーを借り受けた。組織試料と人間の両方について、犬がメラノーマを確実に発見することができるかどうかをつきとめるためだった。

　皮膚ガンの診断には通常、手持ちの顕微鏡が使われ、普通は続いて生体検査を行なう。顕微鏡による観察は、ガンの早期診断においては八割程度の有効性しかなく（つまり、診断の五件に一件は間違い、ということ）、ガンかどうかを確認するため、ほとんどの場合はさらに検査が行なわれる。コニェッタは、研究所や病院から入手したメラノーマの組織試料を使って、メラノーマの試料が入っている試験管を見つけるようにジョージを訓練した。

　ジョージはやがて腕を上げ、メラノーマの試料を、大きな長方形の箱に開けた一〇個の穴のうちの一つに入れ、他の穴には正常な組織試料を入れた場合、九九パーセントの確率でどれがメラノーマであるかを当てられるようになった。次にコニェッタはジョージに実際の患者を「診察」させた。これははるかに難しいことではあったが、結局ジョージは、七人の患者のうち、四人（結果の解釈のしかたによってはもしかすると五人）のメラノーマを発見した。こうした実験結果は興味深いが、決定的と言うにはほど遠く、より大規模な、きちんと管理された研究が待たれるところだ。

　イギリスのアマーシャム病院に勤めるキャロライン・ウィリスは、同僚らとともに、厳密に管理された二重盲険法（訳注：対照群に関する検証で、試験者と被験者の双方とも、どれが対照群なのかわからなくしておく方法）による実験を行ない、犬を訓練すれば、膀胱《ぼうこう》ガンを見分けてそれを知らせることができるようになるということを示した。実験には、健康な人、何かの疾患がある人、そして膀胱ガン患者の、計六組の尿検体が使われた。実験を行なっている研究者も、実験の対象である犬も、犬が実際に選択を終えるまで、どの検体が膀胱ガンであるかは知り得なかった。

あるとき、ガン細胞はないと医師が断言した検体を、犬がガン細胞の検体として選び続けたことがあった。ウィリスは言う。「トレーナーが、この検体は無視するようにいくら教えてもダメなんです。この実験はうまくいかないのでは、と絶望的になりました。犬があまりにもかたくなにその検体を選ぶので、私たちは専門医に相談することにしました」

トレーナーの一人、アンディ・クックは、その次に起きたことをこう語っている。「病院は私たちの犬の仕事ぶりを見て、犬を信頼していましたから、その検体をさらに詳しいテストにかけたんです。テストの結果には本当にびっくりしていましたよ——その患者はなんと腎臓ガンで、さらに膀胱にもガンがあったんです」

犬によっては、教えられなくても自発的にガンを見つけることがあるようだ。だが最近の研究では、犬を訓練すれば、迅速かつ効果的に悪性腫瘍を見つけられるようになることがわかっている。カリフォルニア州サン・アンセルモにあるパインストリート財団のマイケル・マッカロック率いるチームは、たった三週間の訓練で、五頭の飼い犬に、患者の呼気《こき》の匂いを嗅いで肺ガンと乳ガンを検知するように教えこんだ。実験はガン患者八六人（うち五五人が肺ガン、三一人が乳ガン）と、健康な八三人を対象とした。犬は、特殊な管の中にためた呼気の試料の匂いを嗅ぎ、ガンに侵された試料が置かれた実験台の前で、座るか伏せをするように訓練された。実験の結果は見事で、犬たちは、乳ガンと肺ガンを、平均して九〇パーセント以上の確率で検知したのである。

もっと新しいところでは、九州大学の園田英人が、結腸直腸ガン（大腸ガン）患者の呼気と糞便の試料を集めて行なった研究がある。ガンに侵された試料一点とガンのない試料四点を容器に入れ、ラブラドール・レトリーバーに、ガンのある試料が入った容器を匂いを嗅いで当てさせるというテストを繰り返したのだ。犬は、三六回の呼気テストのうち三三回、三八回の糞便試料テストのうち三七回、ガンのある試料を嗅ぎ当てた。これは、結腸直腸ガン発見のための大腸内視鏡検査とほとんど同等の精度である。しかも試料の一部は、発見が難しいことで知られる早期大腸ガンの患者のものだったのだ。

訓練された犬は、一生の間に一万二〇〇〇人以上についてガンを検査できる可能性があるので、ガン探知犬を育てるために投資した時間は、医療効果と同時に節約効果もある。もしかしたら将来、ガンがあるかどうかの検査と言えば、ラブラドール・レトリーバーが知識と経験にもとづいて鼻をクンクン言わせることになる日がくるのかもしれない。

犬の味覚はどれくらい優れているか？

ドッグフードのテレビコマーシャルを信じるなら、犬は味にとても敏感だ。進化という観点から言うと、味覚はとても古くからある感覚である。味覚は、最初に登場した生き物たちと、それらが浸されていた巨大な化学物質の海との間で起きた相互作用から生まれた。水中に浮かんでいた、あるいは溶けていた物質は、こうした原始的な生物の生存にとって重要な意味があった。それは、食物であったり、警告を与えるものであったり、損傷を与えたり、ときにはその生物を殺すものであったりもした。生き物が進化するにつれて、味覚はより特化し洗練されていった。味覚を通して得られる快感と嫌悪感は生き残りに貢献する。少なくとも自然界に存在する物質に関しては、不味い、というのは何か害のあるもの、消化できないもの、あるいは毒であること、一方美味しいものは、役に立つ、消化しやすい物質である、というのが、大まかな目安として妥当である。

生き残りにとって重要であるがために、犬の感覚の中で最初に機能し始めるのが味覚であるというのも驚くにはあたらない。生まれたての子犬は、触覚と味覚、それに嗅覚だけが機能しているようだ。ただし、味覚が完全に成熟して鋭敏になるには数週間を要するが。

人間と同じく、犬の味覚もまた「味蕾《みらい》」と呼ばれる特殊な受容器官に依存している。味蕾は舌の上面の、「乳頭」と呼ばれる突起上にあり、また口の天井（口蓋《こうがい》）のやわらかい部分や、喉につながる口の奥の方（「喉頭蓋《こうとうがい》」と「咽頭《いんとう》」）にも若干ある。動物の味覚の鋭さは、どんな種類の味蕾がどれくらいあるかにかかっている。嗅細胞の数が嗅覚の鋭さを決めるのと同じだ。味覚に対する感受性で競えば、約九〇〇〇個の味蕾を持つ人間が、一七〇〇個しか味蕾を持たない犬に勝つが、犬の味蕾は猫と比べればずっと多い――猫の味蕾は平均して四七〇個ほどしかないのである。

特定の種類の味蕾が特定の化学物質グループに反応することで、味の認識が生まれる。人間が感じる味について言えば、昔から、四種類の基本味が識別されてきた――甘い、塩辛い、酸っぱい、苦いの四つである。初期の研究で、犬の味蕾もまた、人間が味を感じるのと同じ種類の化学物質に反応することがわかったが、一つだけ、塩気に関してははっきりとした違いがある。人間をはじめ、哺乳類の多くは塩に敏感に反応する。私たちは塩を求め、食べ物に塩をふるのが好きだ。たとえば、プレッツェル、ポテトチップ、ポップコーンなどのスナックはたいてい、塩をたっぷりふりかけてある。私たちの食事のバランスを整えるには塩は欠かせないし、野菜や穀物類には塩はほとんど含まれないからだ。だがイヌ科の動物は人間とは違って、基本的に肉食動物であり、野生では食べるもののほとんどが肉だ。肉はナトリウム含有量が多いので、犬の祖先たちは十分な塩分を食べ物から摂っており、人間のように、塩気に敏感な受容体も、塩分への渇望も発達させることはなかった。

犬は完全な肉食ではなく、雑食動物に分類されることがある。肉だけでなく、植物性のものも食べる、という意味だ。とは言え、野生の状態では食べ物の八〇パーセント以上が肉である。だから犬には、甘み、塩気、酸味、苦みという味覚の他に、肉、脂、そして肉に関連した化学物質に特に敏感な受容体がある。犬は、肉や、肉から抽出された香味料を含むものを求め、明らかにそれらを好む傾向がある。

犬の場合、甘さを感じる味蕾は、フラネオールと呼ばれる化学物質に反応する。これは多くの果物やトマトに含まれる。猫はフラネオールには事実上「味盲」だが、犬はこの味が好きなようだ。野生環境では、犬は主に小動物からなる食生活を、たまたま手に入る果物で補ったことから、この味覚を進化させたのだろう。

基本の味覚のそれぞれを感じる味蕾は、舌に均等に配分されているわけではない。甘さを一番感じるのは舌の前部と側部だ。酸っぱさと塩辛さを感じる味蕾も舌の側部にあるが、もう少し後ろにあって、塩気を感じる部分はかなり小さい。舌の奥の方は苦みに最も敏感だ。肉の味を感じる味蕾は舌の上面に散らばっているが、主に前方三分の二にある。ただし、刺激の強さが十分ならば、舌のどの部分でも、すべての味覚刺激を感じることができる――ここにあげた舌の各部は、特定の味に対してきわだって敏感であるにすぎない。

犬は苦みが嫌いなので、それを利用して、犬が家具などを齧るのを防ぐためのいろいろなスプレーやジェルが作られている。これらの化合物には、ミョウバンや、トウガラシ由来のさまざまな成分など、苦い物質が配合されていることが多い。苦い味がするもので表面を覆っておけば、犬はいずれはそれを齧ろうとしなくなるが、「いずれは」というのが肝心な点だ。問題の一つは、苦みを感じる味蕾があるのは舌の一番奥の三分の一だという点にある。つまり、ペロッと舐《な》めたり何かを丸呑みしても、犬は苦みを感じないのである。長いことかみ続けないかぎり、苦みはそれを感じる部分まで届かないのだ。

犬にはまた、水に敏感な味蕾がある。猫や、他の肉食動物にも共通するが、人間にはない特徴だ。この味蕾は犬の舌の先端部にある。水を飲むときに犬が巻きこむ部分だ。ここは常に水の味に反応するが、塩辛いものや甘いものを食べると、水の味に対して犬は特に敏感になる。この、水の味を感じる能力は、排尿の量を増やす、あるいは消化するのにより多くの水分を必要とするものを食べたあと、体内の水分のバランスを保持する方法として発達したものと考えられている。犬は肉食で、すでに述べたように肉には塩分が多いから、この味覚は有益である。たしかに、水の味を感じる味蕾が活発なとき、犬は水を飲むのがことさら嬉しそうで、ものすごくたくさん水を飲む。

犬にはなぜひげがあるのか？

犬の鼻口部の両側に生えている硬い毛は、一般的にはひげ、より専門的には「vibrissae（洞毛《どうもう》）」と呼ばれる。これは、ときに人間が顔に生やす、なんの機能も持たないひげとはまったくの別物だ。猫にもこれと似たものがあり、触毛と呼ばれたりするが、その方がふさわしい呼び名かもしれない——じつは犬の洞毛も、犬が感覚を使って動き回るのを助ける、洗練された装置なのだ。洞毛は、犬の体の他の毛とは非常に異なっていて、もっとずっと硬いし、皮膚のもっと深いところから生えている。一本一本の洞毛の根元には、知覚神経が集中している。

犬の他にも、猫、ネズミ、クマ、アシカ科やアザラシ科の動物をはじめとして洞毛を持つ動物は多く、それが有益な機能を持っていることがうかがえる。それが動物にとってどれくらい重要なものであるかを測る方法の一つは、脳をどれくらい使うかを見てみることだ。犬の脳は、触覚からくる情報を処理する部分のうちの四〇パーセント近くが顔にあてられており、そのうち、洞毛が生えている上顎の割合は、その大きさからは不釣り合いなほど大きい。事実、洞毛の一本一本が具体的に脳のどこにつながっているかをマッピングすることも可能で、そのことは、洞毛から得られる情報には重要な意味があるということを示している。

洞毛は、何かが顔の近くにあるということを知らせる早期警戒装置の役割を果たす。そのおかげで犬は、壁や物にぶつかることもなく、近づいてくる物体が犬の顔や目を傷めることもない。ご自分で犬の洞毛に軽く触れてみると、このことがよくわかるだろう。触れるたびに、触れた側の目は身を守るようにして閉じ、犬は触られたのと逆の方向に顔を逸らすことが多い。

洞毛はまた、物の位置や、おそらくは物の認識そのものにも関係があるようだ。ほとんどの動物は洞毛を、目の見えない人が杖を使うのと同じように使う。犬が何かに近づくときにはまず、洞毛をコントロールする小さな筋肉が洞毛を前方に向ける。次に、その物体の表面を洞毛が撫《な》でるように犬が頭を動かすと、洞毛は小さく振動する。それによって、犬の近くにある物の形や表面のでこぼこに関する情報を得るのである。犬の目は近くにある物体によく焦点が合わないし、口の近くにある物を見るときには鼻口部が視線を遮るので、前方と下方を向いた洞毛から得られる情報は、犬が小さな物の位置とそれが何であるかを知り、口でくわえるのを助けるのだ。

犬好きの多くは、洞毛が犬にとってどれほど重要かがわかっておらず、トリマーの中には、犬の洞毛を、人間のひげと同じく単なる飾りだと思っている人も多いようだ。ドッグショーに出るために洞毛を切られてしまう犬種は多い。そうすることによって犬の顔が「スッキリ」する、と言うのである。あいにく、洞毛の切断は、犬にとっては不快だしストレスになる。そして、自分のすぐ近くの状況を把握する能力を低下させる。

具体的に言えば、洞毛を切られた犬は、暗いところで不安そうに見える。そういう犬はゆっくり動く——ぶつかるかもしれない物がどこにあるか、それを知らせる情報がないからだ。洞毛があれば、犬は実際に物に触らなくてもそれがそこにあることがわかる。また、洞毛はとても敏感で、ほんのわずかな空気の流れの変化も察知する。犬が、たとえば壁のような物体に近づくとき、その動きが起こした空気の流れが壁の表面から跳ね返って、洞毛をわずかに曲げる。それだけで犬には、実際にそれに触れるずっと前に、何かが自分の近くにあることがわかるのだ。

犬は人間と同じように痛みを感じるか？

ほんの一〇年ほど前のことだが、私はある科学会議に出席して、一人の獣医が「犬は人間ほど痛みを感じないので、犬の痛みを評価したり疼痛管理をするのは重要なことではない」と主張するのを聞いた。

人間は痛みを感じるが犬は痛みを感じない、少なくとも人間と同じ程度には感じない、という通説は、一部には、私たちが飼っている犬がもとは野生動物だったことからきている。犬は、怪我や衰弱からくる痛みを隠す本能を受け継いでいるのだ。野生動物の世界では、怪我をしたり老衰した動物は攻撃されやすく、何か具合の悪いところがあろうが、どこも悪くないように振る舞う方が生き残りに有利なのである。だから私たちの飼い犬もいまだに、痛いところがあっても平然として見えるのだ。痛みがあったり怪我をしていることが明らかにわかる兆候の多くを押し殺すことで、自分自身の身を、そして群れの中における自分の社会的立場を守ろうとするのである。彼らは、なんの問題もないように見せようとして痛みを隠す。だがあいにく、本能に従ったこの行動のせいで、私たち人間は、犬が痛みを感じていてもそのことになかなか気づかない。

獣医の多くは、犬は痛みに鈍感だという考えには反対しない――ある種「弱虫な犬種」を除いて。そしてその考えに従って行動する。いくつかの調査によると、腹部手術や不妊・去勢処置などの外科手術のあとでさえ、約半数の獣医は、痛みに対処する薬をいっさい与えずに犬を帰すのである。

中には、安静が必要な犬は、少々痛みがあった方がおとなしくしていて、動き回りすぎるのを防げるので都合が良い、と言う獣医さえいる。だが、人間でそれと似た状況——女性が子宮を摘出した場合を考えてみよう。犬の避妊と基本的には変わらない手術である。彼女の医師が、なんの薬も処方せず、「傷が癒えるまで安静にしていられるから、痛みはあった方がいい」と言ったら、その女性はどう反応するだろうか。

研究論文ははっきりと、痛みが——特に長期間続く痛みが——実際に犬の健康を害する場合があることを示している。なぜならば、痛みというのはストレス要因であり、そのストレスに対する反応として体が、さまざまなストレスホルモンを分泌し始めるからだ。こうしたホルモンは、ほとんど体中のあらゆる系に影響を及ぼし、代謝率が変化したり、神経系の反応のしかたが変化したり、心臓、胸腺、副腎、それに免疫系の活動が高まった状態になる。そして、もしこの状態が長く続けば、こうした臓器が機能不全に陥る可能性がある。また、痛みからくるストレスが引き起こす緊張は、犬の食欲を減退させ、筋肉疲労や組織破壊を引き起こし、さらに、犬に必要な、治癒を促す睡眠を奪ってしまう。やがて犬は、痛みに苦しみ、疲れきってしまうが、そういう状態では体の治癒力は弱まるのだ。

犬の怪我、病気、外科手術からくる痛みを抑えたり疼痛管理をするとどんな効果があるかについての研究が行なわれている。手術を受けた犬の回復を見てみると、手術後の痛みを薬で制御すると大きな利点があった。呼吸機能が改善されたり、手術前後のストレス反応が減ったり、入院期間が短縮されたり、普通に動けるようになるまでの回復が速くなったり、治癒率が高まったり、手術後の感染症罹患の可能性が減ったりしたのである。ほとんどすべての研究結果が、人間も犬も、痛みが軽減された場合の方が通常の食生活に早く戻れることを示していた。

研究者らは、自分たちの研究結果をまとめて、獣医が犬を治療する際、痛みと不安は、予防し、早い段階で気づき、積極的に制御することが必須だと言っている。自分の飼い犬が示す、痛みのかすかな兆候に敏感になることが大切である、と彼らは警告する。痛みそのものの手当てをすることで、回復を長引かせるストレスを軽減させ、癒しの効果があるからだ。

そう考えると、あなたの犬が見せる兆候や症状をあなたがわかっていることが重要だ。あなたの犬が痛みを感じているかどうかは、獣医よりもあなたの方が的確に判断できるかもしれないのだ——なぜなら、ある犬の行動にどんな変化があったか、どんなふうに痛みを表に出すかに気づくには、その犬をよく知っていることが一番だからだ。

一般的に言って、痛みを感じている犬は、ぼんやりしていて普段よりおとなしい。他の犬や人間と一緒にいるのを避けるために身を隠すこともある。体の動きがこわばっていたり、動きたがらなかったりするかもしれない。激しい痛みを感じている犬は、そういう状態の人間と同じで、じっと横たわったままだったり、辛さをやわらげるために異常な姿勢をとるかもしれない。それほど痛みが激しくないときは、ソワソワして普段より用心深く、うろうろと歩き回ることもある。

痛みを感じている犬は、パンティング〔訳注：動物が体温調節のために行なう呼吸のことで、口を開け、舌をだらりと垂らしてハアハアと激しく呼吸する〕や浅い呼吸を含むストレスの兆候を見せる。震えたり、瞳孔が普段より開いているかもしれない。さらに、普段のように餌を食べなくなったら、どこか具合が悪いと思ってまず間違いない。意外かもしれないが、犬は痛みがあるからといって普段より多く吠えることはない。ただし、鼻をクンクン言わせたり、遠吠えをする可能性は高い――周りに人がいなくなると特に。また、痛みを感じている犬は、誰かが近づいてくると突然唸《うな》ったり、いつもより攻撃的に見えるかもしれない。普段と違うこうした行動は、単に、体の痛い部分を守ろうとしているだけかもしれない。

あなたの犬の行動に起きるこうした変化はどれも、どこかが痛いことを意味しているかもしれないが、中には、不安や緊張、病気の印である場合もある。つまりこれらは、あなたの犬に適切な検診を受けさせることを促す、初期警告なのだ。

痛みを感じている時間が長ければ長いほど、痛みからくるストレスにともなう副作用のために、あなたの犬の回復が遅れるということを覚えておこう。幸いにも今では、あなたの犬が感じている痛みを抑え、制御するための、優れて効果的な方法が以前よりたくさんある。

犬は鏡に映った自分がわかるか？

人はよく、犬が鏡に映った自分の姿を無視するのが不思議だと言う。初めて鏡を見た子犬は、そこに映った像が別の犬であるかのように振舞うことがある。まるで本物の犬がそこにいて、交流しようとしているかのように、吠えたり、ちょっと頭を下げて一緒に遊ぼうと誘ったりするかもしれない。だが少し時間が経つと、子犬は興味を失ってしまう。その後は、鏡に映った自分の姿にはなんの意味もないかのように振る舞うことが多い。

私たち人間が鏡を見るとき、私たちはすぐに、自分が見ている像を自分自身と認識する。あまりにも自然に感じられるので、私たちは普通、それを何か特別なこととは考えないが、心理学者によればこれは非常に高度な知的能力だ。なぜならそのためには自己認識が必要で、それは意識が持つ最も洗練された側面だからである。私たちは事実上、頭の中で自分自身の外に出て、自分を、自分以外の世界とは別の存在であると考えることができなければならないのだ。

鏡の中の自分を自分と認識する力は、私たちが生まれ持っているものではない。赤ん坊は、鏡に映る自分の姿に喜ぶかもしれないが、自分とは別の赤ん坊と思われるものとやりとりしていると思っている

のだ。鏡に映った自分自身を見ているのだ、と赤ん坊が気づくのは、生後一八か月から二四か月の間のどこかである。このことを実証するため、ジーン・ブルックス＝ガンとマイケル・ルイスは、こっそりルージュ（口紅）で赤ん坊の顔に点を描いた。赤ん坊は、鏡の中にいるのが自分とは別の子どもだと思うと、赤い点にはほとんど興味を示さなかった。だがいったん自分が自分を見ているのだとわかると、鏡を見ながら自分の顔の赤い点を選んで触り、調べるようになる。鏡の像が自分自身であることを理解したのだ。

ニューヨーク州立大学オルバニー校の心理学者、ゴードン・ギャラップは、チンパンジーを使ってこれと似た実験を行なった。まず、チンパンジーの檻の中に鏡を入れる。チンパンジーは初めのうち、別のチンパンジーがいるかのような反応を見せたが、時間が経つと、それが鏡に映った自分であることを学習した。次にギャラップはチンパンジーに麻酔をかけて、眉毛の上と耳の上に赤い印をつけた。麻酔から覚めたチンパンジーは、初めは赤い印にはなんの興味も示さなかったが、そのうち鏡の中の自分の姿に気がついた。そこに赤い印がついているのを見るとチンパンジーは、自分が鏡で自分自身を見ているということがわかっている人間の子どもと同じように行動した――鏡の中の姿をよく見ながら、自分自身の眉毛や耳に触ったのだ。これは、チンパンジーが自己を認識していることを意味するとギャラップは考える。チンパンジーは自分が個の存在であること、自分が見ている像は自分自身であることを理解しているのである。

オランウータン、ゴリラ、そしてイルカもまた同様に、鏡に映った姿を見せると、自己認識の兆候を見せる。だが、犬その他の動物はそれを、自分とは別の生き物として見るか、あるいは完全に無視する。

犬が顔の印と鏡を使ったテストに落第する、という事実から研究者たちがたどり着いた結論は、犬には自己認識が欠落しており、したがって犬は自意識を持っていない、というものだ。だがもちろん、同じ事実から、犬は鏡に映っているのが自分だとわかっているが、より高度に進化した霊長類ほど虚栄心がなく、自分の外見を気にしていないのだ、と結論づけることも可能である。

コロラド大学の生物学者、マーク・ベコフは、この一見ネガティブな実験結果について、別の解釈を提案した。人間やほとんどの類人猿と比べて、犬は視覚的事象から影響を受けることがずっと少ない、ということに彼は気づいたのである。もしかしたら、犬の自己認識を調べるための実験に使われた感覚手段が問題だったのかもしれない。犬にとって最も重要な感覚器官は、霊長類と違って、視覚ではなく嗅覚なのだ。犬は、自分が知っている犬や人間の匂いがわかるのは確かなようだし、犬に自意識というものがあるとすれば、鏡に映った自分の姿を認識させようとするのではなく、自分の匂いを嗅ぎ分けさせるべきではないのか？　「ルージュテスト」で自己認識を試す代わりに、ベコフは「黄色い雪テスト」を行なった。実験の対象は彼の飼い犬のジェスロで、ロットワイラーとジャーマン・シェパード・ドッグの混血だった。彼は、賢いがあまり優雅とは言えない実験過程をこんなふうに説明している。

五年間、冬の間私はジェスロの後ろを歩き、黄色くなった雪をすくいあげて、散歩の通り道の、少し離れたきれいな場所に移した。他の犬が黄色くした雪も同じようにした。この実験に雪を使うのは非常に都合がいい――尿を保持するし、運びやすいからだ。全部のデータを集めるのに五年かかったのだから、これは報酬目当てでしたことではないというのはおわかりだろう。

雪は必ず、ジェスロが散歩道のどこか他所にいて、ベコフを見ていない間に移動された。テストは非常にシンプルだった――ベコフはジェスロが歩いていって、尿の塊のところに着いた時間を記録し、その塊の匂いを嗅いでいる時間を計り、他に何をするかを観察したのだ。犬を飼っている人のほとんどには予想がつくだろうが、ジェスロは黄色い染みのある雪の塊でいちいち立ち止まって匂いを嗅いでから、たいていの場合、他の犬の尿の上からおしっこをした。だがジェスロには、自分の尿の匂いがわからなかった。自分の尿で黄色く染まった雪の塊のところへ来ると、他の犬の尿がついている塊に比べ、匂いを嗅ぐ時間がずっと短く、上からおしっこもしなかったのだ。

ベコフはこの観察結果から、人間が持っている自己認識と一部共通するものを犬も持っている、と結論した。ベコフによれば、犬には「身体認識」という感覚がある。自分には体があり、「ぼくの足」「わたしの顔」など、その体の各部位を自分が所有している、という感覚だ。さらに犬には、「自分のもの意識」がある――何が自分のもので何は他者のものか、という感覚だ。「わたしの縄張り」「ぼくの寝場所」「わたしのおやつの骨」その他もろもろである。ただしこのデータからは、犬に「自分意識」があるかどうかはわからない。他にもっと良い説明が見つからないが、ターザンが「俺、ターザン、君、ジェーン」と言ったときに意味していたのがこれだ。自己認識の本質であるそこの部分を、犬について実験的に検証する方法はまだ見つかっていないようだが、鏡を使ってもだめなのは明らかだ。鏡に映った姿には匂いがないので、犬にとっては、注意を払うに足るほどの存在感も重要性もないのである。

PART 2

犬は本当に、考えたり感じたりするのか？

犬には人間と同じ感情があるか？

犬を飼っている人のほとんどは、自分の犬を見れば、嬉しいのか、怒っているのか、怖がっているのか、意気消沈しているのか、すぐにわかる。飼い犬はたいていの場合、どんな気持ちでいるかが明らかなように見える。だから、犬に感情があるかどうかということがかつては（ところによっては今でも）科学的論争の的であった、ということが、多くの人は理解できない。

動物に感情があることが疑われるようになったのには、いくつかの理由がある。中でも一番大きいのは、一六世紀から一七世紀の科学者たちが、生物は化学的・物理的規則に従う器官の集まりから成っている、ということを知るようになったことだろう。この認識を受けて、哲学者であり科学者であったフランス人、ルネ・デカルトは、犬をはじめとする動物は、歯車や滑車装置に相当する生物学的な部品がつまった、一種の機械にすぎないと提唱した。この機械は、考えることはしないが、ただし特定の行動をとるようにプログラムすることはできる、というのである。デカルトのこの考え方をさらに拡大させたニコラ・ド・マルブランシュは、その主張をこう総括した――曰く、動物は「喜びを感じることなくものを食べ、痛みを感じることなく啼き、何をしているのか知らないまま行動する。何も欲さず、何も怖れず、何も知らない」

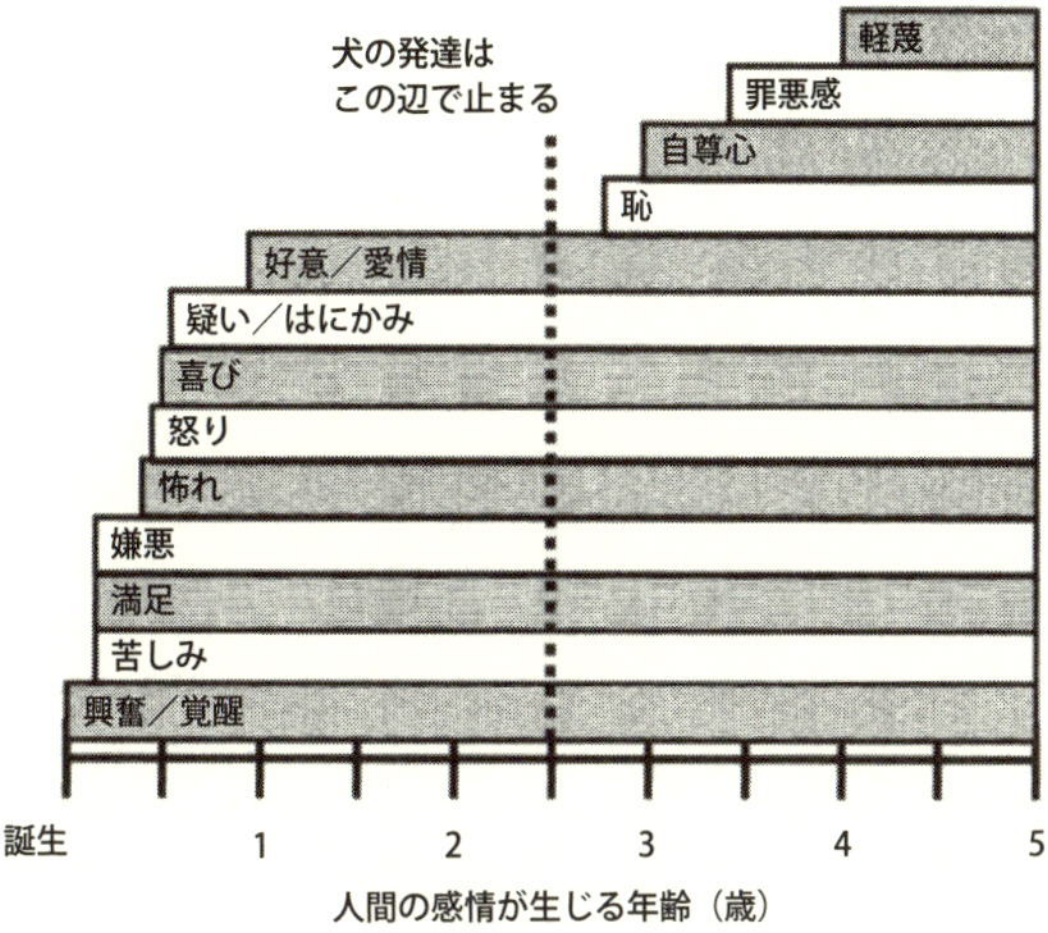

こうした理論家たちの結論に対し、あなたは、犬を挑発すると明らかに怒って唸《うな》ったり咬みついたりするか、あるいは怖がって逃げ出すではないか、と言って反論するかもしれない。デカルトやマルブランシュの時代の科学者とその後継者たちは、犬は単に行動しているだけで感じてはいないのだ、と言うだろう。犬は、自分に脅威を与えるものには咬みつくように、あるいはその脅威が大きすぎる場合は逃げるようにプログラムされている、というわけだ。犬を蹴飛ばすと、痛みと怖れに悲鳴をあげるではないか、とあなたは言うかもしれない。するとこうした研究者たちは、トースターを蹴飛ばしても音はする、と答えるだろう。それはトースターが怖がっていることを示す、苦痛の悲鳴だろうか？　犬も、トースターと同じで、行動はとるが感じてはいない、というのが彼らの持論なのだ。

科学は進歩し、今では私たちは、人間の感情を生み出すのと同じ脳の構造を犬が持っていることを知っている。犬は人間と同じホルモンも持っているし、感情とともに人間に起きる化学変化と同じものを犬も経験する。人間の、愛情や他者への好意と関連があるオキシトシンというホルモンさえ、犬は持っているのだ。神経の構造や化学的な性質が犬と人間は同じなのだから、犬にもまた、私たちのものと似た感情があると考えるのは理に適っているように思える。ただし、調子に乗って、犬と人間は感情の幅も同じだと短絡的に考えないことが重要だ。

犬の感情を理解する鍵は、人間の研究にある。人間は全員が幅広い感情を持つわけではない。事実、赤ん坊にはごく限られた種類の感情しかない。だが時間とともに赤ん坊の感情は分化し、発達して、大人になると、人間は非常に幅広い感情を持つ。この本でも後述するが、研究によれば、犬の知能は大ざっぱに言って二歳から二歳半の人間に匹敵する。そのくらいの歳の子どもに感情があることは明らかだが、それは存在し得る感情のすべてではない。

前ページの図は、生後五年間に起きる人間の感情の発達を示している。生まれたての赤ん坊には感情は一つしかない――これを興奮と呼ぼう。興奮は、非常に落ち着いた状態から逆上した状態まで、赤ん坊の意識が覚醒している程度を示す。生まれて数週間のうちに、興奮状態は快・不快の色合いを持つようになり、大まかに言って赤ん坊が満足か不満足かがわかるようになる。その後の二か月ほどで、赤ん坊は嫌悪感、怖れ、怒りなどを表わすようになる。喜びという感情は通常、生後六か月くらいにならないと生まれず、続いてはにかむ、または疑うという感情が生まれる。「愛」と呼べるような、本当の親愛の情が完全に姿を現わすのは、生後九か月から一〇か月になってからだ。学習しなければならない要素を持つ複雑な感情が生まれるにはもっと時間がかかる。恥、自尊心といった感情が生まれるには三年近くかかるし、罪悪感が生まれるのはさらにその六か月後だ。子どもが軽蔑を感じるようになるのは四歳近くになってからである。

この発達過程こそ、犬の感情を理解するための黄金の鍵だ。犬は、人間よりずっと速いスピードで感情の発達を経験し、一生のうちに持つことのできる感情のすべては、（その犬種の成熟の早さによって）生後四か月から六か月で身につく。ただし、犬が持つことのできる感情の種類は、二歳から二歳半の人間の子どものそれを超えることはない。つまり犬は、基本的な感情はすべて持っているのだ――喜び、怖れ、怒り、嫌悪、そして愛さえも。だが、もっと複雑な、罪悪感、自尊心、恥といった社会的感情を持つことはない。

あなたは、あなたの犬が罪悪感を感じている証拠を見せた、と言うかもしれない。よくあるのは、あなたが帰宅するとあなたの犬がコソコソと居心地悪そうにしており、それからキッチンの床にウンチしてあるのが発覚する、というやつだ。犬の振る舞いは、粗相したことに罪悪感を感じているからだ、と思うのは自然である。だが、それは罪悪感ではなく、もっと基本的な、怖れという感情にすぎない。犬は、あなたが現われたときに自分のウンチが床の上にあると、良くないことが起きる、ということを学習したのである。あなたが目にしているのは、お仕置きに対する怖れなのだ――その犬が罪悪感を感じることは決してない。

だから遠慮なく、あなたの犬に、パーティー用の馬鹿げたコスチュームを着せるといい。それがどんなに滑稽な格好でも、彼はそれを恥ずかしいとは思わない。その変てこな衣装を着て賞をもらっても、誇らしく感じることもない。ただしあなたの犬は、あなたに対して愛情を感じることはできるし、あなたがそばにいれば満足感を覚えるのだ。

犬の性格は遺伝的に決まるのか？

心理学者は「性格」という言葉を、ある人がさまざまな状況下でどんなふうに振る舞い、反応し、感じるか、という予測を可能にさせるその人の特徴、という意味で使う。科学者の中には、「性格」という言葉を人間以外の動物にあてはめるのを嫌がる人がいる。代わりに彼らが使うのは「気性」という言葉だ。普通の人にとってはこの二つの言葉にはほとんど違いがないが、科学者たちにとっては、異なったラベルを使うことで、人間とそれ以外の動物の行動には、重要な、質的な違いがある、と言うことが可能になるのだ。

だが、性格とはいったい何なのだろう。そしていったい何が、犬種間の――それどころか同じ犬種の個体間の――性格の違いを生むのだろう？　生物学は私たちに、私たちを私たちたらしめる要素は大きく二つある、と教えてくれる。遺伝（生まれ持ったもの）と環境（与えられたもの）だ。犬の場合、性格の大部分は、受け継いだ遺伝子で決まる。

カリフォルニア州立大学バークレー校のジャスパー・ラインをはじめとする研究者らは、犬の遺伝子コードの地図を作成するイヌゲノム・プロジェクトの一環として、犬の性格を遺伝子がどのように操作しているかということを中心に調査を行なった。ラインが最初に調べたのは、遺伝学に関して最も初期

の洞察を行なったとされる一九世紀の僧グレゴール・メンデルにちなんでグレゴールと名づけられたボーダー・コリーと、色が黒いのでペッパーという名前のニューファンドランドで、この二頭を交配させた。

ラインがボーダー・コリーとニューファンドランドを選んだのは、肉体的な違いだけでなく、二つの犬種が性格的にとても違っているからだった。ニューファンドランドはおっとりしていて優しく、人間を守ろうとし、忠実で、音にびっくりしたり周りで起きていることに気を取られたりすることが少ない。活発すぎず、走るよりは歩きたがる。一方ボーダー・コリーはその反対だ。十分に人なつこい犬ではあるが、周りにいる人間のことより、仕事の方にずっと熱心だ。真剣で集中力があるが、同時に、周りで何か突然、興味を引きつけるようなことが起きると、すぐに動揺してしまう。二頭がいる部屋にあなたが入っていったとき、ニューファンドランドはあなたを鼻でつつき、あなたの注意と愛情をおねだりするかもしれないが、一方ボーダー・コリーはおそらく、あなたをちらっと見て入ってきたことを認めたあと、猫に言うことをきかせる任務に戻ることだろう。

ラインは、グレゴールとペッパーの子犬たち（「F1」世代と呼ばれる）に性格テストをした。注目した指標は、(1)愛情の要求、(2)無駄吠え、(3)驚愕反応、(4)他の犬に対する友好度、(5)相手をじっとにらむ「アイイング」（ボーダー・コリーでは特に強い支配行動で、他の動物や人間に対する影響力を行使するのに使われる）をするかどうか、の五つだった。

子犬たちは概して、父親と母親の間のどこかに位置していた。ボーダー・コリーの父親よりも愛情深くておっとりしているが、ニューファンドランドの母親よりも緊張度が高く興奮しやすかったのだ。ところが、F1世代の犬たちをかけ合わせて「F2」世代の子犬が生まれると、予想のつかなかった性格特性が表われるようになった。たとえばF2世代の子犬の一頭は、愛情をほしがる傾向が強く、簡単には驚かない（どちらもニューファンドランドの性格特性）が、他の犬には友好的でなく、吠えることが少なく、相手をにらみつけて威嚇することが多かった（ボーダー・コリーの性格特性）。人間によくなつき、他の犬とも仲良くする（ニューファンドランドの特性）が、目でにらみつけることが多く、すぐに驚く（ボーダー・コリーの特性）子犬もいた。ただしこの子犬の吠え方は両親と同じで、祖父母の特徴を平均化していて、ニューファンドランドよりは吠えるし、ボーダー・コリーほどは吠えなかった。

F2世代に属する二三頭の子犬は、祖父母の性格特性を、およそ考えられるかぎりの組み合わせで受け継いでいた。F1世代である親においては平均化されていた特性なのだが、遺伝子の再結合によって、その犬種に固有の特性が、はっきりそれとわかる形と強さで、ただし純血種である祖父母には決して見られなかった組み合わせで表われたのである。

この研究は、犬の性格特性を遺伝子がいかに制御するかを示しただけでなく、コッカプーやラブラドゥードルなどのいわゆる「デザイナードッグ」のブリーダーにとっても重要なことを示唆している。たとえば、もしコッカー・スパニエルとプードルの特徴が混ざった犬種を作るのが目的だとすれば、それが確実に起こるのは、純血種の親をかけ合わせた最初の世代だけだ。それより後の世代は、気性も身体的特徴も、非常に予測が難しいのである。

心配性で怖がりな犬がいるのはなぜか？

ポメラニアンのアリーは、その体の小ささのわりには勇敢で自立した犬だった——ただしそれは、あなたがトースターを取り出し、パンを一切れ入れてスイッチをオンにするまでのこと。たったそれだけのことで、アリーは耳を倒してクンクン鼻を鳴らし、逃げていって隠れてしまう。心理学者なら、アリーはトースターを極端に怖がる、つまり恐怖症になってしまったのだと言うだろう。トースターを怖がるとは奇妙だが、さまざまな状況と関連した恐怖症を持つ犬はたくさんいる。一番典型的なのは、雷や花火などの大きな音を怖がる犬だが、他にも、子ども、男性、車に乗ったり階段を降りるのを怖がることもあるし、蝶や、チラチラ動く影、といった難解なものを怖がる犬もいる。

犬が何かを怖がっている、あるいは不安に感じている、ということを表わす印には、耳を倒す、尻尾を後ろ脚の間に下げる、縮こまる、コソコソ動く、あくびをする、首の後ろの毛が立つ、震える、よだれを垂らす、パンティングする、といったボディ・ランゲージがある。あるいは、飼い主にぴったりくっついたり、クンクン鳴いたり、おしっこをもらすこともある。極端な場合は動揺したような行動をとり、うろうろと行きつ戻りつしたり、ものを齧って壊したり、怖れの原因になっている人や動物、ときには飼い主やその家族に唸ったり咬みついたりすることさえある。

遺伝的に怖がりな性質を持って生まれてくる犬もいるが、私たちが目にする犬の恐怖感のほとんどは、生まれてから経験したこと、あるいは成長発達の過程で経験できなかったことに起因する。あなたの犬が自信を持てるか、それとも怖がりな犬に育つかを決める最も大きな要因はおそらく、子犬の頃にどんな社交関係を持ったか、ということだ。

社交関係を持つとはつまり、子犬がまだ幼い頃に、さまざまな人、場所、状況を経験する、ということにすぎない。犬を社交的にすることができる期間は長くない。生後八週間経つと、犬は知らない人には人見知りをし、警戒するようになり、その傾向を防ぐには生後一四週間までに対処しなければならない。二度目のチャンスは生後五か月から八か月の間で、その期間に犬は知らない人を怖れるようになり、たとえば子どもとか男性といった特定のグループを怖れの対象に選ぶことも多い。この傾向はあっという間にひどくなり、攻撃性へと変化する場合もある。こうした恐怖感をつぼみのうちに摘み取っておかないと、あなたの犬は、あまりのストレスと不安感のために、使役犬としても、ショードッグとしても、番犬としても役に立たず、それどころか愛玩犬としても満足できなくなってしまうかもしれない。

内気で怖がりな犬の性格を改善することはある程度は可能だが、それは大変な作業だし、十分に社会に適応した犬ほど信頼できるようには決してならない。幸い、犬を社交的にするのは簡単だし、楽しい仕事だ。つまり子犬を、見知らぬ人、あごひげを生やした男性、子ども、眼鏡をかけた人、煙草を吸う人、老人、寝たきりの人、歩行器や杖を使う人、鞄を持った人、などなど、さまざまな人間に、安全かつ楽しく触れさせればよいのである。また、いろいろな部屋、舗装道路、駐車場、公共の建物、ガソリンスタンド、その他、犬が行く可能性のあるさまざまな場所にも子犬のうちに触れさせる。おやつをもらったり、撫《な》でられたり、機嫌良く言葉をかけられたり、優しい人たちと触れあったり、そういう経験がたっぷりあれば、犬は喜んでそうした練習に参加するだろう。こうやって新しいことを経験させるペースは、生後一八週間を過ぎたら徐々に落としてかまわないが、二度目のチャンスの時期が終わるまで、つまり、子犬が九か月から一歳になる頃まではやめない方がいい。

社会に適合させることで、恐怖感が生じるのを最初から防げるのが理想的ではあるが、後になって何か衝撃的な出来事があり、それが原因で怖れや恐怖症を持ってしまう場合ももちろんある。アリーがトースターを怖がるのはそういう例のようだ。ある日、朝食の準備をしていたアリーの飼い主がトースターのスイッチを入れたのと同時に、家の改装作業をしていた建築業者が、キッチンの横の私道に、けたたましい大音響をあげて大量の建築資材を投げ降ろしたのだ。そのときから、トースターのスイッチの音と香ばしく焼けるトーストの匂いが、アリーをパニックに陥れるようになってしまった。

ではあなたの犬が、すでに何かを怖がったり、恐怖症を持っていたら、どうすればよいだろうか？一番自然な答えは、何かを怖がっている小さな子どもを扱うのと同じように犬にも接する――つまり、犬を慰めるということだろう。だが相手が犬の場合、これはまさに、してはいけないことなのだ。犬が怖がっているときに優しく撫でたりすると、犬はそれを怖がっていることへのご褒美だと思ってしまう。まるで、こういう状況で怖がるのは正しいことだ、と言っているようなものなのだ。そういう態度で犬に接すると、次にそういう状況が起きたとき、犬はもっと怖がることだろう。

今では、怖れや不安が深刻な場合に、犬を落ち着かせ、気持ちを静めるさまざまな動物用の薬が存在する。だが、平均的な犬の恐怖に対処するには、犬の不安を無視して普段通りに行動するのが、この感情的な問題を突破する最良の方法であることが多い。たとえばあなたの犬が雷を怖がるとしよう。すでにしつけの訓練を受けているなら、雷が鳴っている最中に、リードを着けて、訓練で教わった簡単な課題を練習させると、何もかもいつも通りであると安心させるのに役立つ。最初にその訓練をしたときと同じように、おやつや、撫でたり、褒めたりすることでご褒美をあげよう。犬は最初のうち、自分が怖いと思っている状況をあなたが無視するのを不思議に思うかもしれないが、最終的には、群れのリーダーであるあなたがこの状況を苦にしていないのだから、万事は順調、自分が怖れることは何もない、ということに落ち着くのである。

犬が攻撃的になっているという印は？

あなたの足元で、あるいはソファに座ったあなたの横で休んでいるその人なつこい犬には、暗くて危険な過去がある。かつて進化の過程で、犬は捕食動物だったのであり、強靭な鼻口部とずらりと歯が並んだ口で、獲物を追い、殺して生きていたのだ。それと同じ凶器が、他の犬との交流の中で、誰がボスか、あるいは美味しそうな食べ物は誰のものか、ということを強調するために使われることがある。犬を飼うようになったとき、人間は犬の攻撃的な傾向をやわらげはしたが、ある状況下では、挑発されてそうした原始的な行動パターンに戻る犬もいるのである。

飼い犬は改良が進んでいて、よほどの理由がなければ咬みつくという行為におよぶことはないし、犬にそういう反応を引き起こす理由は限られている。他の犬との交流における攻撃性は、相手に苦痛を加えたり傷つけたりすることではなく、相手の行動を変えさせるのが第一の目的だということを、まずは理解しなければならない。そのために犬は、行動に移す前に、攻撃の意図があることをはっきりと示す。相手の行動を変えさせるには威嚇だけで十分なはずだ、というわけだ。だから、攻撃的な信号が無視されないかぎり、実際に相手を咬むことはない。攻撃するぞ、と脅かす合図には、たとえば次のようなものがある。

●長い間相手をにらみつける
●首の後ろの毛を逆立てる
●唸る
●歯を剝き出す
●体を弓なりにする
●こわばった歩き方をする
●脚の間に尻尾を丸める、あるいは尻尾を高く上げて逆立てる
●耳が立っている犬の場合、広げたVの字、または飛行機の翼のように横に平らにする

自分の犬が、たとえばあなたの靴下やおもちゃを離したくないといった些細なことでこうした行動をとるのを見て、驚く飼い主は多いかもしれない。子犬がこういう行動をとっても見落としがちだが、子犬のときは可愛らしい、唸ったり咬みついたりの真似ごとも、成犬になるにつれて大きな問題に発展しかねない。なぜなら、いったん攻撃的な行動が始まると、それが自然に消えることは決してないからだ。犬は、攻撃的な行動をとることでほしいものが手に入る、あるいはストレスの多い状況から自分の身を守れる、ということをたちまちのうちに覚える。この問題は、私たち人間が解決する必要があるのだが、それにはまず、犬が攻撃的な行動をとったときにそれがわからなくてはならない。

パニックになる前にまず、あなたの犬に咬まれる、というのがどれくらい深刻な脅威であるかを考えてみることが重要だ。マスコミの言うことを信じるなら、犬に咬まれる人はそこら中にいて、逆上した

飼い犬に咬まれて死ぬ人の数は対外戦争で死ぬ人の数より多いことになる。犬が人を咬んだ数の統計をとるのは難しいが、ある種の犬咬傷《いぬこうしょう》は役所に届けなければならないと法律で決められている——つまり、咬まれて死んだ場合だ。ある研究では、一九年間の記録を検証した結果、その期間中、犬に咬まれたことが原因の死亡例はアメリカ全土で計二三八件であることがわかった。平均すると年に一二件である。犬に咬まれて死ぬことと比較すると、雷に打たれて死ぬ確率は八倍（年間九〇件）、自宅の浴槽で溺死する確率は二六倍（年間三一二件）、プールで溺死する確率は四九倍（年間五九六件）、そして自転車に乗っているときに死ぬ確率は六六倍（年間七九五件）である。明らかに、身のまわりによくある危険のリストの中で、犬に咬まれるというのはかなり下位なのだ。

ではなぜマスコミは、「危険な犬」についてそれほど騒ぐのだろう？　私の知り合いのあるジャーナリズムの教授（名前は伏せてほしいそうだ）は、こんなふうに説明してくれた——「良いニュースは売れないんだよ。『犬は飼い主に笑顔と幸せを運ぶ』という見出しで新聞が売れると思うかい？　野心に燃える若いジャーナリストに僕たちが教えるルールは、『血が流れればトップニュースになる』ということなんだ。近頃ではそれに、『犬は名誉毀損で訴えない』と付け加えてるのさ」

特に攻撃的な犬種は？

あなたの犬が殺傷兵器になる可能性はあるのだろうか？　犬に襲われた人のことをマスコミが報じるたびに、多くの人の頭をこの質問がよぎる。特に、一部の犬種は「悪い犬」であり、少なくとも都市部で飼うのは危険なのでは、という懸念が持たれている。

その論法はこうだ。犬はさまざまな目的で飼われており、ドーベルマンやジャーマン・シェパード・ドッグのような犬は、番犬として、また警護のための犬として選ばれてきた。それはときには人を咬むことが必要な任務だから、そういう犬は誰にでも咬みつきやすいのではないか、というのである。

犬咬傷に関する統計データをとるのは難しい。その多くは、たとえばあなたが犬におやつをやろうとして、興奮しすぎた犬が親指を一緒に咬んでしまった、というような、無害なものだ。もっとひどい咬み傷でも、家で手当てするものもあるかもしれない。実際に治療を必要とする犬咬傷も、その多くは閲覧が可能なデータベースには記録されておらず、研究者にはわからない。記録があったとしても、その犬種は明らかにされていないことが多い。

それでも唯一、アメリカ国立傷害予防管理センターだけは、過去数十年にわたって記録された、犬咬傷が原因の死亡例を検証し、明らかな傾向を見つけた。ただし、ある犬種が問題を起こした犬のリスト

の上位に多いからといって、そのことには大きな意味はないかもしれない。人気の犬種はどんな問題についても登場する数が多くならざるを得ないので、ある犬種が巷にどれくらいいるかを考慮することが重要だ。その人気度に比べ、犬咬傷による死亡に関与することが有意に少ない犬種はあるように見える。あまりにも小さいので人を死に至らしめるほどの傷をつけようがない犬種を除くと、そうするだけの力を持ちながら犬咬傷による死亡例に関係する可能性が最も低い犬種は（その頻度の低い方から）、次の四種だ。

- ラブラドール・レトリーバー
- ダックスフント
- ゴールデン・レトリーバー
- ブルドッグ

ラブラドール・レトリーバーとゴールデン・レトリーバーがペットとしての人気を保ち続けるのは、彼らが非常に安全な犬であることが一因だろう。

一方、全国的なデータはまた、人を死亡させる可能性がより高い犬種もあることを示し、特にピット・ブル（ここでは、アメリカン・ピット・ブル・テリア、スタッフォードシャー・ブル・テリア、アメリカン・スタッフォードシャー・テリアを指す）が引き起こした死亡例はその他の犬種を大きく上回っている。死亡に至った犬咬傷の全国的なデータによれば、こうした悲劇の大部分は、（最も危険なものから順に）次の八犬種によるものだ。

1 ピット・ブルおよびピット・ブルの関連種
2 ロットワイラーとロットワイラーの交配種
3 マラミュート種とハスキー種
4 オオカミと犬の混血種
5 チャウ・チャウ
6 秋田犬
7 ジャーマン・シェパード・ドッグ
8 ドーベルマン

だからと言って、これらの犬種が一頭残らず生まれながらの人殺しだというわけではないし、一番攻撃性の低い犬種の犬は絶対に人を咬まないという保証もない。科学は私たちに確率を教えてくれるにすぎないのだ――特定のゴールデン・レトリーバーやロットワイラーが攻撃的かどうかは、飼い主が誰で、どのように育てられ、社会化されたか、どのようにしつけられ、人間社会にとけこんできたかによる。この世には、愛情満点のロットワイラーもいれば、意地の悪いゴールデン・レトリーバーもいる。そして彼らの行動は、それが善いことでも悪いことでも、人間にも一部その責任があるのだ。

この研究の結果は、犬種によって違いがあることを明らかにしているが、同時に、他にも重要な要因があることがわかった。たとえば犬の性別や、去勢されているかどうかということだ。オスの犬に咬まれて死亡する例は、メスの犬と比べて六・二倍だし、去勢していない犬は、去勢された犬の二・六倍の頻度で人を攻撃している。

咬まれたのが誰か、何をしていたのかということもまた関係がある。悲しいことに、犬咬傷の犠牲者の半数以上は、一二歳以下の子どもだ。だが、こうした犬咬傷の犠牲者の多くは、悲劇を引き起こす一翼をになっているのだ。犬咬傷による死亡例の五三パーセントにおいて、犬を叩いたり、目をつついたり、物を投げつけたりといった、犬を挑発する行動があったことが示唆されている。

犬の飼い主の行動も重要だ。鎖につながれたり狭い庭に押しこめられたりした犬は、そうでない犬と比べ、人を咬んで死なせる確率が三倍高い。また、犬の行動に果たす飼い主の役割を裏づける重要な数字の一つとして、人に咬みつく犬のうち、なんと八八・八パーセントは、一度もしつけの訓練を受けたことがないのである。

犬は嫉妬や羨望を感じるか？

嫉妬と羨望は、社会的な環境で人間がよく味わう感情だ。自分の幸運の代わりに、他人の幸運を数える行為、と言ってもいいかもしれない。犬にはこうした感情はない、と考える人もいるが、ドーソン・シティ郊外で私が出会ったある犬ぞりレーサーは別の見解を持っていた。彼は自分の犬ぞりチームに引き具を装着しようとしており、犬たちは仲良く、興奮した様子であたりを動き回っていた。私がうち一頭の、青い目をしたハンサムなシベリアン・ハスキーを撫でようと手を伸ばすと、彼は私を制してこう言った――「一頭を撫でたら全部撫でないとだめだよ、ものすごく嫉妬するから。愛情とか、食べ物とか、その他なんでも、一頭だけが他より多くもらっていると思うと、焼きもちをやいて大変なんだ」

どんな社会的状況にも不公平は存在し、報酬ということに関して言えば、得をする者とそうでない者がいるものだ。科学者たちは、感情を二つのカテゴリーに分けて考える傾向がある――一次的な感情と二次的な感情である。怖れ、怒り、嫌悪、喜び、驚きといった「一次的感情」は普遍的なものとされる。これに対し、罪の意識、恥、嫉妬、羨望などの「二次的感情」は、より複雑な認知過程を必要とすると

考えられている。たとえば、羨望を感じるためには、積極的に他者が手にしているものに注意を払い、自分が努力に対して得ているものと比較する必要がある。チンパンジーやヒヒなどの霊長類においては嫉妬や羨望がはっきりと観察されているが、犬のような動物は嫉妬や羨望は感じないのではないかと論争されてきた。犬にはこうした感情が生まれるために必要なレベルの自己認識は存在しないのではないか、と最近まで考えられていたのだ。だが、犬が身近にいる人は、飼い犬にそういう感情があるのをしばしば目にしている。

犬によく見られる嫉妬の表現は、母犬と子犬、そして飼い主の間にある複雑な関係が原因で起きる。人間と違って、犬の母親は、子犬に対して一生母性本能を持ち続けるわけではない。子犬が自力で生きられるようになるやいなや、同腹の子犬たちに対する母性本能は薄れ始め、次の発情期がくるまでには確実になくなってしまう。もちろん小さな子犬たちは、抱きしめたくなるような愛くるしさで、当然その家の人間たちからたくさんの愛情を浴びせられる。聡明な飼い主なら全部の犬に同等の気遣いと思いやりを持って接しようとするだろうが、たいていはその努力も無駄になる。母犬は、飼い主の注目が自分から子犬に移ったのを見て嫉妬を覚えるのだ。そしてその仕返しに、子犬を無視し、自分の寝床から追い出そうとしたりする。この行動がエスカレートすると、子犬たちや、飼い主に対してさえ攻撃的になりかねない。

こうした、ごく一般的に見られる現象を、行動を研究する科学者が無視することが多いのは奇妙なことである。犬には多様な感情があるというのは十分に受け入れられている事実だ。犬が社会的な動物であることは確かだし、嫉妬や羨望は社会的な交流が引き金になるものだ。犬はまた、人間を対象とした実験で明らかになった、愛と嫉妬の表現にともに関係があるオキシトシンというホルモンを持っているのである。

ウィーン大学のフリードリク・レンジは実験で、二頭の犬に同じことをさせ、片方には褒美を与えるがもう片方には与えない、という状況を作り、犬が嫉妬するかどうか試した。犬はそれぞれ、事前に「お手」を教えられていた。実験では、犬を二頭一組にし、並んで座らせた。犬は二頭とも、それぞれに「お手」を指示されたが、ご褒美をもらったのは片方だけだった。犬が嫉妬や羨望を感じるとしたら、ご褒美をもらえなかった方の犬は、この不公平に対し、命令に従うのをやめる、という反応を示すのではないかと予想された。はたしてその通りになった。お手をしてもおやつをもらえなかった犬は、間もなくお手をするのをやめてしまったのだ。さらに、ご褒美をもらえなかった犬は、もう一頭の犬がご褒美をもらうと明らかに、ストレス、あるいは苛立ちを見せたのである。

この行動は嫉妬を示しているのではない、と反論する人もいるだろう。ご褒美をもらえなかった犬が命令をきくのをやめたのは、単に、報いのない行動は遅かれ早かれ姿を消すからにすぎないのかもしれない。学習理論で「消滅」と呼ばれるものだ。この実験で重要だったのは二頭の犬の間の相互関係であって、単に報酬をもらえなかったことに対する欲求不満ではない、ということを確認するため、類似した実験が行なわれたが、今度はそれぞれの犬は別々のところでお手をし、かつご褒美を与えられなかった。この状況下では、犬がお手をやめるまでの時間はもっとずっと長く、先の実験で見せたような欲求不満や苛立ちは見せなかったのである。

これらの実験から一つわかったことは、犬が感じる嫉妬や羨望は人間のものほど複雑ではないということだ。人間が、互いに競い合う社会的状況に置かれると、褒賞のあらゆる側面が注意深く精査されて、誰が一番良い結果を手にしたかを決めようとする。が、犬はそれほど綿密に状況を観察しようとはしない。この違いは、実験の状況を微妙に変化させたときに明らかになった。

今度も二頭の犬が実験者の前に座り、順番にお手をさせられた。どちらの犬もお手をするとご褒美をもらったが、片方の犬がもらったのはとても魅力的なおやつ(ソーセージ)、もう片方がもらったのはそれほど魅力的でないおやつ(パン)だった。人間で言えば、同じ企業の社員二人が同じ業績をあげて昇格したにもかかわらず、片方は新しくて豪華な角部屋をオフィスとして与えられ、もう片方はそれより小さくて質素な、廊下の端にある部屋を与えられた、というような状況に相当するかもしれない。こうした状況では、優遇されなかった方の社員が嫉妬と羨望を感じる、と思うのが妥当だろう。ところが犬の場合は、片方がもう片方より良いご褒美をもらっているにもかかわらず、二頭ともお手をし続け、その状況に満足げだったのである。つまり犬は、「公正さ」(努力に対してみなが褒賞を受け取っているかどうか)には敏感だが、「公平さ」(すべての褒賞が同等かどうか)は気にしないのだ。

犬は本当にうつ病になるか？

すでに見てきたように、犬は基本的な感情を持っているが、極端な情動状態が特徴である精神的な気分障害、たとえばうつ病を患うことがあるかどうかは明らかではない。

一九八〇年代初頭のこと、タフツ大学獣医学部カミングス校のニコラス・ドッドマンは、同僚と並んで、動物行動クリニックに連れてこられたマックスという犬を観察していた。マックスは食欲がなくなり、普段のように食べたり飲んだりしなくなって、急速に体重が減っていた。だるそうで、普段より寝ている時間が長くなっていた。起きているときは、神経をとがらせ、ピリピリして、ごく当たり前の出来事が彼を不安がらせるように見えた。いつもなら喜んですることにも興味を示さない。マックスのような症状の人間を診れば、心理学者は誰しもうつ病だと診断することだろう。だがドッドマンが、マックスはうつ状態で不安神経症であると結論づけると、同僚はそれには同意せず、犬を、人間のような感情を持っているかのごとく扱うのは危険だ、と警告した。「犬には人間と同じ精神状態や感情はないよ」と彼は言った。

ドッドマンの同僚の言葉は、科学者の多くが信じていることの一つを繰り返したにすぎない。つまり、感情や意識的精神活動を持っているのは人間だけだ、というものだ。チャールズ・ダーウィンはその進

化論で、生物学的世界に対する私たちの見方を変えたが、この見解にまっ先に反論した。ダーウィンは、動物の精神的体験は人間のそれと似ており、ただしそれほど複雑かつ多様ではない、と考えたのである。

ドッドマンがダーウィンの主張を支持していることは、同僚への答えで明らかだった。「じゃあこうしないか？　マックスに抗うつ剤を飲ませて、どうなるか見てみよう」。その結果は歴史に残るものだった――マックスの症状は劇的に改善されたのである。生物学的に分析すれば、これは当然の反応だった。なぜなら犬の脳と神経化学は、人間のそれと非常に近いからである。

今ではほとんどの獣医師が、動物にも感情があり、人間が患うのと同じ精神的な問題の一部は動物にも起こり得る、ということを受け入れるように教育されている。そうした問題には、うつ病だけでなく、不安神経症や、理不尽な怖れや恐怖症、強迫的な行動、そして神経過敏症やストレスからくるさまざまな問題が含まれる。現在、動物行動薬理学と呼ばれる研究分野が発達しつつあり、ほとんどの獣医師は向精神薬の使い方を学んでいる。ペット用の薬剤は今や大きな市場を抱えており、世界最大の製薬会社の一つであるファイザー社は、アニマルヘルス事業部門を設立して、二〇一〇年には一〇億ドル近い売り上げを記録している。

こうした精神的な問題がペットの間にどれくらい蔓延しているのかを特定するのは難しいが、イギリスでペット保険を提供するセインズベリー社が収集した情報がある。それによれば、イギリスで飼われている犬の中では、うつ病と不安神経症がかなり広がっており、報告書には、二〇一〇年、精神的な病気を患ったイギリス国内の犬と猫は六二万三〇〇〇頭にのぼったほか、九〇万頭がストレスや感情的な問題から食欲をなくしたとある。

脳内で神経伝達物質の役割を果たすホルモン、セロトニンの不足が、うつ状態を引き起こす重要な要因になっているようである。ただし、飼い主や仲間の犬との別離や、引っ越し、身体的外傷、病気や虐待によるトラウマ、鎖につながれて長時間他者との交流がない、といったことが犬のうつの原因になることもある。

犬の精神的な問題をつきつけられたドッドマンは、人間のために作られた薬に目を向けた。ドッドマンの予想通り、さまざまな形状のプロザック〔訳注：抗うつ剤〕が、犬におけるうつや不安症からくる問題の抑制に役立った。この研究結果を見て、プロザックを市場に導入した製薬会社、イーライリリー社は、特に犬の使用に向けた、ビーフ味の、歯で咬み砕けるタイプのプロザックを開発した。

人間もそうだが、うつ病にはある種の行動療法も効果がある。運動量を増やすと人間のうつ病に効果があるが、これは犬も同様だ。社会的な交流や遊ぶ機会を増やしたり、もう一頭犬を飼って、周りからのサポートや交友関係を継続したり新しくしたりすることによっても、犬の状態を劇的に改善できることが多い。

犬は笑うことができるのか？

ほとんどの人にとって、犬が尻尾をふるときが犬の笑顔に相当するだろう。だがじつは、犬にも、人間の笑顔と意味が近い表情が一つある。それは、犬がほんの少し口を開き、舌が前歯を超えて舌先をのぞかせる表情だ。同時に目が、目尻を外側にほんの少し吊り上げたような、ティアドロップ形になる。これは普段、犬がリラックスしているとき、遊んでいるとき、誰かの（特に人間の）相手をしているときなどに見られることが多い、屈託のない表情だ。その状況に少しでもストレスや不安なことが起きると、犬は口を閉じ、舌は見えなくなる。

この、舌を垂らした表情は、じつは昔から、犬の微笑みを表わす表情と認識されてきた。たとえば、起源はエジプトのファラオの時代に遡る子どものおもちゃで、車輪のついた小さな台の上に犬の像が乗っているものがある。それに紐を結びつけて、床を引っ張って歩くようにできている。ところがその犬の顔は、誇張された大きな舌を前歯の先に垂らしているのだ。そのおもちゃの名前を訳すと「笑う犬」という意味になる。

犬は実際に笑顔を作ると信じたとしても、その感情表現をもう一歩進めて、人間の笑い声に相当するものを発することができるかどうかはわからない。動物行動学の研究者は、かつては笑い声を、人間だ

けに見られる感情表現であると考えていた。だが、ノーベル賞を受賞した動物行動学者、コンラート・ローレンツは、犬は笑い声を立てることができるし、遊んでいるときに笑う、と主張した。犬が笑うときは、まず笑顔（つまり、わずかに口が開いて舌が前歯の先に見える状態）を作るが、それにパンティングのような音がともなう、というのである。

シエラ・ネバダ大学のパトリシア・シモネットは、犬が遊んでいるときに出す、パンティングのような笑い声を録音した。その音を分析すると、通常の犬のパンティングよりも幅広い周波数の音を含んでいることがわかった。ある実験中、彼女は、録音された音を聞いた子犬が嬉しそうに跳ね回ることに気づいた。また別の実験では、この音を聞かせると、アニマルシェルターの犬たちが落ち着くということを示してみせたのである。

人間はこの音を真似ることができるが、少々チューニングが必要だ。私が初めてそれを試したときはあまりうまくいかず、犬たちはまったく反応しないか、せいぜい不思議そうな顔をするだけだった。だがやがて私は、ほぼ確実に犬たちが興味を示す音を出せるようになった。正しい音のパターンを出すには、口の形に注意を払わなければならない。私の場合、若干唇をすぼめて「フ」、口を開けて微笑んだような感じで「ハ」という音を出して、「フ・ハ・フ・ハ……」とやると一番うまくいく。実際には発声はせず、息のような音を出す。つまり、この音を出しているときに喉に触っても振動は感じないはずだ。私がこの音を出すと、私の犬たちは起き上がり、尻尾をふりながら、部屋の向こうの方から近づいてくる。

この非公式の実験を行なった後、私はさらに観察を続け、私なりの犬の笑い声の物まねを使って、犬のしつけ教室その他の場面で、不安げな犬、臆病な犬、内気な犬たちを落ち着かせることができた。犬を正面から見つめるのは短い間にして、目を背けるのと交互にするのも役に立つようだ。さらに、短く、素早く左右に首をふると効き目が増すことがある。このテクニックが最も効果的に犬を落ち着かせるのは、犬が感じている不安や心細さがあまりひどくない場合だ。犬が体験しているネガティブな感情があまりにも強いときには、どうやら効き目はない。

犬は計算できるか？

犬には、どんなに初歩的なものだろうが、量的な思考はできないと考える人がいる。この世界を量的に分析する一番基本的な形は、ものの大きさの判断だ——つまり、あるものが、別のものと比べて大きいか、小さいかの判断である。初期の研究で、犬に大小二つの挽肉の玉を見せ、犬が大きい方を選ぶのと同じ頻度で小さい玉を選ぶことがわかると、研究者たちは、犬には大きさを目算することができないのだと結論づけた。だがこの実験には不備がある。犬はご都合主義なのだ。「明日の百より今日の五十」的なメンタリティとでも言おうか。二つの挽肉の玉までの距離が違っていれば、犬は必ず近い方を選ぶが、二つが同じ距離のところにあれば大きい方を選ぶ。大きさの違いはわかるのである。

トロント大学のノートン・ミルグラムは、トレイの上に大きさが違う二つの物を載せて犬に見せ、犬に大きさの判断ができることを証明してみせた。二つのうちの正しい方を鼻で押して動かすと、下におやつがある。どちらもおやつをこすりつけてあるので、匂いでは判断できず、犬は視覚による大きさの判断に頼らなければならない。この状況で、犬は、物の形やそれが何であるかにかかわらず、常に大きい方（あるいは小さい方）を選ぶことを教えられる。そして犬はこの区別を比較的簡単に覚えるのであ

る。

同じ量的思考でも、「数量認知能力」は、これよりもうちょっと難しい。これは簡単に言うと、二つのグループに含まれるものの数を比較する能力である。たとえば二つの集団のどちらがより多くの人を含んでいるかを判断するとき、人数を実際に数えず、それぞれのグループに含まれる人数が具体的にはまったくわからなくても、私たちはこの能力を使って見当をつける。同様に、ドライフードが二粒しか入っていない皿ではなく、その隣の、一〇粒入った皿の方に駆けていく犬は、それぞれの皿に入ったドライフードの多少を判断し、それに従って決定を下したのかもしれない。実験室では、犬は、描いてある点の数が多い（または少ない）方のパネルを押してご褒美をもらうことを覚え、数量認知能力があることが証明されている。

その一段上の段階は簡単な数を数えることだが、これは多くの犬が——特に使役犬や猟犬が——示してみせる能力だ。たとえば、レトリーバーを使った野外実験では、上級の任務を遂行するためには、犬は少なくとも三まで数えることができなくてはならない。なぜなら、もしも鴨が三羽撃ち落とされて、うち二羽を回収したら、まだあと一羽、回収しなければならない鴨がいる、ということが犬にわからなくてはならないからだ。

数を数えることが犬にできるなら、簡単な計算もできるのではないか、と考えるのは自然なことに思える。ブラジルのポンティフィシャル・カソリック大学に勤めるロバート・ヤングと、イギリスのリンカーン大学のレベッカ・ウェストは、人間の赤ん坊が数を数える能力を持っていることを証明するのに使われたテストに修正を加えて、この考えを検証しようとした。このテストには、「選好注視法」と呼ばれるものが使われた。これは単に、赤ん坊がある物を見ている時間を計ることだ。実験の結果、赤ん坊は（大人と同じように）、意外な物、珍しい物に注視する時間が長いことがわかっている。

人間の場合、数を数えることができるかどうかのテストは簡単だ。まず赤ん坊に、テーブルの上に置いた小さな人形を見せ、それから人形の前に衝立を置いて人形を隠す。赤ん坊が注目している間に実験員が別の人形を見せ、それを同じ衝立の後ろに置く。数を数えることができるなら、赤ん坊は、衝立を持ち上げると人形が二つあると思うはずだ。そしてその通りの場合もあるのだが、実験員はときどき、こっそり人形を一個動かして、衝立を持ち上げたときに人形が一個しか見えないようにする。すると、衝立を持ち上げたあと、赤ん坊がテーブルの上の物を見つめる時間がずっと長くなるのである。この結果は、赤ん坊が頭の中で計算をしたこと、テーブルの上の人形の数が期待していた数と違うので驚いていることを証明している、と心理学者は考えている。

この方法で犬をテストする場合、犬に大きなおやつを一個見せて、それから衝立をその前に置く。次に犬が見ている前で実験員が、もう一個のおやつをわざとらしく衝立の後ろに置く。犬に計算ができるなら、一＋一＝二であることがわかり、衝立を上げるとおやつが二個あると思うだろう。ただし、赤ん坊の場合と同様に、実験員はときどき、こっそりと二つ目のおやつをどかしてしまうので、衝立を上げるとおやつは一つしかない。すると赤ん坊と同じく、犬はこの意外な結果を、計算通りの結果であるときよりも長い時間見つめ、明らかに「驚いた」様子だったのである。また、実験員がこっそりともう一つおやつを加え、期待していた二個ではなくて三個のおやつを目にしたときも、犬はやはり驚いたようだった。この結果は、犬は数を数えることができるばかりか、簡単な足し算や引き算ができることを示している。

数を数えたり簡単な計算ができるというのは、犬には不要な能力に思われるかもしれない。だが、これは有用な能力で、野生動物だった彼らの祖先の生き残りには不可欠だったことだろう。たとえばこの能力があればメス犬には、自分の子犬が全員巣穴に揃っているか、あるいは迷子になった子犬がいて、探索救助が必要かどうかがわかるのだ。

犬には音楽がわかるか?

多くの人が、犬が遠吠えするのは彼らなりに音楽を奏でようとしているのだと信じている。なぜなら犬は、音楽の演奏や歌に合わせて遠吠えすることがあるからだ。野生のイヌ科動物に比べ、飼い犬は吠えることの方がずっと多く、遠吠えはときたますするだけだ。遠吠えはコミュニケーションの一つの形で、孤立した犬の場合は淋しさを表わすことがあるが、通常はそれとは別の社会的な役割を持っている。オオカミは、群れを集め、群れとしてのアイデンティティを強めるために遠吠えする。遠吠えを聞くと、群れのメンバーが集まってきて群れの歌に加わる。いったん遠吠えが始まると、やがてそれは楽しげなお祭りになることも多い――それは、オオカミや犬が、自分たちがそこにいること、同種族の動物たちとの仲間意識を表明する、いわば自然発生したジャム・セッションなのだ。

犬の遠吠えを一番よく誘発するのは管楽器、中でもクラリネットやサキソフォンなどのリード楽器の音だ。ヴァイオリンが奏でる長い音や、歌っている人間の長く伸ばした声に誘発されることもある。こういう音は、犬が聴くと本物の遠吠えに似ていて、その声に応えてコーラスに加わらなくては、と思うのかもしれない。

ところで、はっきりした音楽の趣味を持ち、何が良い音楽かがわかっている犬がいることが報告されている。ロンドンのヘレフォード大聖堂のオルガニストだったジョージ・ロビンソン・シンクレア医師は、ダンという名のブルドッグを飼っていた。シンクレアは、『威風堂々』や『希望と栄光の国』を書いたことで知られるサー・エドワード・ウィリアム・エルガーの友人だった。エルガーはダンが好きだった――ダンには音楽の良し悪しがわかると感じたのである。飼い主とともにしばしば聖歌隊の練習に立ち会い、音を外した隊員に向かって唸り声を上げるダンを、エルガーは大いに気に入っていた。

とうとうエルガーは、ダンに楽曲を書いて贈ることとなった。その顚末はこうだ。ダンは、ブルドッグの多くがそうであるように、水に入るのが嫌いだった。ある日のこと、ワイ川の岸辺を散歩中、ダンは川に落ちてしまった。大慌てで岸によじ登ったダンが、威勢良く身を震わせて水を切ったものだから、シンクレアとエルガーはびしょ濡れになった。シンクレアは非常に面白がって、エルガーに、これを音楽で表現しろと挑発した。エルガーはその挑発を受けて、すぐにこの出来事を音楽にした。これは後に『エニグマ変奏曲』の一つ（第一一変奏）となり、歌の音程が外れているかどうかがわかる犬は、音楽となって不朽の名声を与えられたのである。

ヴィルヘルム・リヒャルト・ワーグナーは、四部からなるオペラ『ニーベルングの指輪』の作曲家として最も知られているが、彼は犬の音楽の嗜好を高く評価していた。彼は書斎に、キャバリア・キング・チャールズ・スパニエルの愛犬、ペップス専用のスツールを置いていた。作曲中、作りかけのフレーズをピアノで弾いたり口ずさんだりしながら愛犬を観察し、その反応に従ってフレーズを修正したのである。ワーグナーは、旋律の調が何であるかによって、ペップスが異なった反応をするのに気がついた。ある調で奏でられる節には、落ち着いてときおり尻尾を揺らし、別の調の一節には興奮したりするのだ。このことが、ワーグナーにあるアイデアを芽生えさせ、それがやがて「モチーフ」という手法になった。

モチーフというのは、オペラの中で、特定の調と特定のムードや感情を関連づける手法である。たとえばオペラ『タンホイザー』では、変ホ長調は神聖な愛と救済、一方ホ長調は官能的な愛と荒淫という概念と結びついている。それ以降に書いたオペラのすべてにおいてワーグナーは、重要な登場人物の性格やドラマの重要な要素を表現するのにモチーフを使っている。ペップスが死ぬとワーグナーは絶望し、(同じ犬種の）別の犬を手に入れるまで、作曲する気になれなかった。新たに彼の飼い犬となったフィップスは間もなく、ワーグナーのピアノの隣にしつらえられた彼専用のスツールに陣取り、必要に応じて、犬なりの音楽の才能を発揮し、批評を展開するようになった。

犬には音楽の好みがあり、音楽のタイプによって異なった反応を見せることは、研究によって立証されている。クイーンズ大学ベルファスト校の心理学者、デボラ・ウェルズは、アニマルシェルターの犬たちにさまざまな種類の音楽を聴かせた。そして、ポピュラー音楽（ブリトニー・スピアーズ、ロビー・ウィリアムズ、ボブ・マーリー他）、クラシック音楽（グリーグの『朝』、ヴィヴァルディの『四季』、ベートーベンの『歓喜の歌』他）、ヘビーメタルのバンド（メタリカ他）のうちのどれかを聴いている犬の行動を観察したのである。犬が本当に音楽の内容に対して反応していることを確かめるため、人間の会話を聴かせたり、何も聴かせない時間も作った。

犬の反応は、音楽の種類によって異なっていた。ヘビーメタルを聴かせると、犬は非常に動揺して吠え始める。ポピュラー音楽や人間の会話の声を聴いているときは、まったく何も聴いていないときと特に違った行動は見せなかった。一方、クラシック音楽は、犬を穏やかにする効果があるようだった。クラシック音楽を聴いている犬は吠える回数が大幅に減り、横になってその場に落ち着くのだ。ウェルズは、研究の結果を要約してこう言っている――「音楽が私たちの気分に影響を与えることはよく知られている。たとえばクラシック音楽はストレスを減らすのを助ける一方、グランジ音楽〔訳注：ロック音楽のジャンルの一つ〕は、敵対心、悲しさ、緊張、疲れを促進することがある。音楽を聴くということとなると、犬もまた、人間と同様の鑑賞力がある、と考えられる」

犬に超能力はあるか？

犬にはさまざまな超能力があると信じている人はたくさんいる——たとえば誰かに死が近づいているのを予知したり、霊（幽霊）の存在を感じたり、愛する飼い主との間に、飼い主の身の安全に関係するある種の超自然的なつながりがあったりする、というのである。この件については、生物化学の博士号を持つルパート・シェルドレイクが行なった研究のおかげで、近年、科学者たちが興味を持つようになっている。シェルドレイクは、「人と動物の間にテレパシーが存在することの最も説得力ある証拠は、飼い主がいつ帰宅するかがわかる犬の研究からくるものだ。このように、犬が出来事を予期して先行行動をとるのはよくあることだ。犬を飼っている人の多くはそれを当たり前のこととして受けとめ、より大きな意味を考えようとしない」と言う。彼は、犬が飼い主の帰宅を予測したと思われる例を五〇〇件以上集めた。さらに、この現象は犬が体内時計を持っているためではないと主張した——なぜなら、その出来事が決まった時間に起きることでなくても、犬にはそれが予知できるらしかったからだ。また、その敏感な耳で、聴きなれた車の音を察知しているのでもなかった。飼い主が、徒歩、あるいはバスやタクシーで帰ってきても、犬にはそれが予測できたのである。

シェルドレイクは、イギリス、ケント州のチズルハーストに住むキャロル・バートレットの、驚くべ

き事例を紹介している。キャロルはよく、サム（ラブラドール・レトリーバーとグレーハウンドの混血）を夫にまかせて、観劇や、友人を訪ねるためにロンドンに出かける。帰宅の際は、電車に二五分揺られ、駅から五分歩く。キャロルの夫は彼女が何時の電車で帰ってくるか知らないし、帰宅の時間は午後六時から一一時の間のいつになるかわからない。シェルドレイクはキャロルの言葉をこう引用している――「夫によれば、サムは（私が出かけた日はそこで過ごすことにしている）私のベッドから降りて階下に下り、私が帰宅する三〇分前から玄関で待っているそうなんです」。この報告が注目に値するのは、キャロルが帰路についたばかりでまだ遠く離れたところにおり、帰宅まで三〇分ある時点で、サムはすでに彼女を待ち始めるからだ。

犬に超能力があるという仮説が最も念入りに研究された例は、イギリス、ラムズボトムに住むパメラ・スマートの飼い犬で、ジェイティーという名の混血のテリアである。キャロル・バートレットの飼い犬サムと同じように、ジェイティーもまた、女主人が帰宅の途につくちょうどその頃に、窓に駆け寄ったり表のポーチに出て行って座ったりして、その帰宅を待つのだった。パメラの帰宅時間がいつもと異なり、何時に帰ってくるか家族が知らないときでさえ、ジェイティーはこの予知行動を見せた。ジェイティーのテレパシー能力を検証しようと、オーストリアの国営テレビ局が撮影隊を送った。撮影隊は二班に分かれ、片方は街の中心部でパメラに随行し、もう片方は彼女の自宅でジェイティーを撮影し続けた。二時間ほどして、パメラたちの班は家に戻ることにしたが、まさにその瞬間、ジェイティーはポーチに出て、パメラが帰ってくるまでそこにいたのである。マスコミはこの実験結果に大いに注目し、番組の解説者はジェイティーを「超能力犬」と呼んで、「その予知は必ず当たる」と言った。

ハートフォードシャー大学の心理学者、リチャード・ワイズマンは、この研究の追跡調査のため、ジェイティーのテレパシー能力をさらにテストした。彼の最初の仕事は、ジェイティーの行動のきっかけになり得る、テレパシー以外の手掛かりを排除することだった。つまりパメラは、普段通りの、予想され得る時間に家を出たり帰宅してはいけないし、音に聞き覚えがあって遠くからでもそれとわかる可能性がある車を使ってもいけない。具体的に言うと、ワイズマンたちは、パメラを遠くに連れて行き、特殊な計算機を使って、帰宅時間を無作為に決めたのである。パメラには、グループが実際に家に向かい始めるほんの数秒前にそのことが知らされた。一方で、研究チームの別のメンバーが一人、パメラの家に残ってジェイティーの行動のすべてをビデオに収めた。

研究チームにわかったのは、ジェイティーは非常に見張り熱心で、パメラの留守中は必ず、十数回も窓やポーチに駆けていくということだった。その中には、誰かが通りかかるとか、近所に車が停まるといった出来事が明らかにその理由である場合もあった。だがときおり、はっきりとした理由なしにジェイティーが窓に駆けていくことがあった。残念ながら、こうした「説明のつかない」窓への突進は、パメラが家に向かい始めた時間とさしたる一致を見せなかった。実験後のインタビューでワイズマンは、結果をこうまとめている――「飼い主は無作為に選ばれた時刻に帰宅し、帰宅した時点ではたしかに犬は窓のところで待っていました。でも、ビデオを巻き戻して全部見てみると、犬はしょっちゅう窓のところに行っていたんです。実際、窓のところで過ごす時間がものすごく長いので、飼い主が帰宅したときにそこにいなかったとしたらむしろその方が驚きですよ！」

ではなぜパメラとその家族は、ジェイティーが彼女の帰宅時間を正確に予知できる、と確信しているのだろうか？　彼らの確信はおそらく、人間が持っているおなじみの先入観によるものだろう。これは、心理学者が「確証バイアス」と呼ぶものにもとづく、一種の選択記憶が関係している。確証バイアスというのは、自分が信じていることを裏づける出来事には気づき、ときにはそういうものを探したりもするが、そうした確信と矛盾することが観察されてもそれを無視するか、その妥当性を過小評価する、という思考形式のことだ。その典型的な例が、カジノのさまざまなゲームについて、必勝法を知っていると信じている人たちである。そういう人は、その方法でかなりの金額を勝ったときのことだけを覚えていて、負けた夜のことは忘れるか、そのとき自分は完璧に必勝法の通りにしなかった、と言い訳する。そんなふうに偏った記憶は当然ながら、時間が経つにつれて、自分は必勝法のおかげで勝てたのだ、という誤った思いこみを生む。これと同様の考え方と選択記憶をすれば、犬にはテレパシー能力があるから飼い主が帰宅を開始するのがわかるのだ、と信じる結果にもなるだろう。

犬は夢を見るか？

犬は夢を見る、と信じている人は多い。犬を飼っている人の多くは、眠っている犬が体を震わせたり、脚をピクピク動かしたり、ときには睡眠が生み出した幻に向かって唸ったり咬みついたりすることがあるのを見たことがあり、まるで何かの夢を見ているように見えるのだ。犬の脳は、構造的には人間の脳に似ている。しかも、睡眠中の犬の脳波パターンは人間のそれに近く、人間に見られるのと同じ電気的活動の各段階を示す。どれも、犬は夢を見る、という考え方と矛盾しない。

むしろ、犬が夢を見ないとしたらその方が驚きである——近年の研究では、犬よりも単純で知能の低い動物さえ夢を見ることを示す証拠が見つかっているのだから。マサチューセッツ工科大学のマシュー・ウィルソンとケンウェイ・ルーイは、睡眠中のネズミの脳が、夢を見ていると考えずにはいられないような働きを見せることを報告した。私たちが夜見る夢の大部分は、その日経験したことと関係している。ネズミにもそれと同じことが起きるようなのである。つまり、その日、複雑な迷路を走ったネズミは、夜そのことを夢に見ることが予想される。ウィルソンとルーイが、ネズミが起きて迷路を学習しているときの海馬（脳の一部で、記憶の生成と保存に関係する）の電気活動を記録したところ、ネズミ

が何をしているかによって、非常に具体的、かつ識別可能な電気信号パターンが見られることがわかった。その後、ネズミが眠り、その脳波が、人間が通常夢を見るときと同じ状態に入ると、先ほどと同じ脳波のパターンが起きたのである。実際、そのパターンは非常に明瞭かつ具体的で、研究者たちは、もしもネズミの目が覚めていたら迷路のどこにいるか、あるいはネズミが動いているか止まっているかを判別することができた。ウィルソンはこの結果を、慎重な言い方で説明している――「ネズミはたしかに、目が覚めている間に起きた出来事の記憶を想起しており、それをレム睡眠中に行なっている。まさに、人間が夢を見るときと同じである」

犬の脳はネズミの脳よりも複雑で、かつ同じ一連の電気活動を見せるのだから、犬もまた夢を見ると推測するのは理に適っている。また、犬がよくする活動について夢を見るという証拠もある。これは、脳幹（脳橋）にある特殊な構造が、私たちが見ている夢を行動に移すのを防いでいる、という事実を応用した研究でわかったことだ。犬の脳のうち、夢を行動に移すのを防ぐ部位を取り除いたり、その部位を不活性化したところ、記録された脳波はその犬がまだぐっすり眠っていることを示しているにもかかわらず、犬が歩き回り始めたのである。そして犬が動き回るのは、脳が夢を見る睡眠段階に達したときだけだった。犬たちは、夢を見ている最中に、その夢の中でしていることを実際に行動に移した。たとえば夢を見ているのがポインターなら、獲物を探し始め、見つけた獲物の方向を指し示すし、スプリンガー・スパニエルなら夢に見ている鳥を追い立てるし、ドーベルマンなら夢の中の泥棒に襲いかかったりするという具合である。

脳の手術をしたり、脳波を記録したりしなくても、あなたの犬が夢を見ているかどうかは簡単に判別できる。犬がうとうとし始めたときから観察するだけでいいのだ。犬の眠りが深まるにつれて、呼吸が規則的になる。平均的な大きさの犬なら、二〇分ほど経つと最初の夢が始まるが、その移行は、犬の呼吸が浅く、不規則になるのでわかる。筋肉が奇妙に引きつったりするかもしれないし、よく見れば、閉じた瞼の下で眼球が動くのもわかる。眼が動くのは、犬が実際に夢の中の像を、実世界の像であるかのように見ているからだ。こうした眼球の動きはレム睡眠に最も特徴的である。人間が急速眼球運動（レム）をともなう睡眠中に起こされると、ほとんどの場合、夢を見ていた、と言う。

すべての犬が同じように夢を見るわけではない。奇妙なことだが、小さい犬の方が大きい犬よりもたくさん夢を見る。トイ・プードルのような小さな犬は一〇分に一度くらい夢を見るし、マスティフやグレート・デーンのような大きな犬は、夢と夢の間に一時間くらい間隔があく。そして小さい犬と違って、大きな犬の夢の方が長く続くのだ。

自分の犬をもっと利口にすることは可能か？

あなたの犬の知能を高めることは可能である。信じがたいかもしれないが、犬の脳を生理的に変化させることができるのだ。ある種の経験をあなたの犬にさせることで、脳をより大きくし、その能率を高めることができる。そしてそのプロセスが犬の知能を高め、性格上も、ストレスに対する抵抗力が一段と高まるのである。

この驚くような主張を裏づける研究が始まったのは、一九四〇年代、カナダ人心理学者ドナルド・O・ヘッブが研究所のネズミを数匹、家に持ち帰り、ペットとして子どもたちに与えたときのことだった。子どもたちはネズミと遊び、ネズミは自由に家の中を走り回って探検した。当然ながら、このネズミたちの生活、そして彼らが探検を許された環境は、身を休める木の削りかすが少々と水の入ったボトルと餌の皿があるだけの、研究所では一般的な味気ない檻に比べて、もっとずっと複雑で刺激に満ちたものだった。後日、このネズミたちの、複雑な迷路を学習する能力（ネズミでいう知能にあたる）をテストしたところ、探検する場所も、頭を使うべき問題や興味深い状況もない退屈な檻の中で育てられた同腹子のネズミに比べて、ずっと知能が高いことがわかったのだ。

ペットのネズミに最初のテストを行なってから間もなくして、ヘッブの研究仲間が、今度は犬を使っ

て同じ実験をした。ペットとして育てられた犬（人間の家族に飼われる犬なら当たり前の、さまざまな刺激や経験を与えられた犬）と、研究室の、ごく普通の味気ない犬舎で育てられた犬とで、その学習能力を比較したのである。結果は、家庭という、より複雑な環境で育てられた犬の方が、学習するのが速かったばかりでなく、テストを受ける環境について怖がることもストレスを感じることも少ないようだった。

続く長年の研究は、こうした行動の変化が脳の生理的な変化の結果であることを明らかにした。常に変化のある複雑な環境で暮らした動物の脳は、実際に大きくなるのである。経験によって、大脳皮質にある既存のニューロンとニューロンを結ぶ新しいコネクションが生まれるのだ。近年の研究は、学習、記憶、行動を秩序だてることなどに関連する重要な脳の部位で、新しい神経細胞が生まれることさえあり得るということを示している。

動物の脳にこうしたポジティブな変化をもたらすためには、多種多様な、興味深い場所・出来事に接する体験がきわめて重要である。そしてそうした体験と同時に、新しいことを学習したり、問題を解決したり、物や周囲の環境を自由に調べたり、操ったり、交流したりする機会が頻繁にあれば、最良の結果が得られる。データによれば、そういう動物はより探求心が強く、学習が速く、複雑な課題をこなせる傾向があるだけでなく、怖がったり感情的になることが少ない、ということが明らかである。

トロント大学の心理学者、ノートン・W・ミルグラムの率いるチームが最近行なった研究は、こうした経験が役に立つのは成長中の子犬に限らないということを示した。成犬や老犬でさえ、生活環境がより豊かになることによって恩恵を受けるだけでなく、問題を解決するという経験は、歳をとった犬によく見られる知的能力の衰えを補うのを助けるようだ。

飼い犬に、より効果的に働く脳の長所を味わわせてやりたいと願うなら、その秘訣はただ、新しいことを経験させたり、新しいことを覚えさせたり、解決しなければならない課題を与えたりすることだ。毎日の散歩のときに、行ったことのない場所にいつもと違う道を通って連れて行ったり、日帰り旅行や雑事をしに出かけるときに連れて行くだけでも犬にとっては新しい経験になるが、犬が解決しなければならない問題を提示するようにちょっと工夫すると、いっそう効果がある。

ほとんどの犬の場合、問題を解決したり物を見つけたりしたときの報酬として食べ物を使えば、やる気を保つことができる。たとえば、いろいろな犬のおもちゃにドライフードをつめる。それを転がしたり小突いたりするとドライフードが少々出てくるようにする。想定範囲内の破壊活動を我慢できるなら、段ボール箱、古いタオルやぼろ布、つぶれたペットボトルなどにドライフードやおやつを入れて、犬が中の食べ物を食べるために容器をバラバラにできるようにしてやる。トイレットペーパーやキッチンタオルの芯などはこれに最適だ。中にドライフードを少し入れて、両端をくしゃっとつぶし、子犬がこの「おもちゃ」をバラバラにしてドライフードを食べられるようにしてやろう。犬のおもちゃは、コング〔訳注：アメリカで考案された、餌やおやつを空洞部分につめて与えるおもちゃ〕やナイロン製の骨など、中が空洞だったりポケット状になっているものが多く、その部分に、犬用のビスケット、ピーナツバター、チーズなどをつめられるようになっている。犬は工夫しないと食べ物を引っ張り出せない。ドライフードを湿らせておもちゃにつめ、それから冷凍庫に入れておけば、翌日には食べ物入りおもちゃのできあがりだ。犬はおやつを食べるために、かなりの時間をかけて取り組まなければならない。

このやり方をちょっと変化させて、食事を宝探しみたいにしてしまうこともできる。犬の餌を少量ずつに分けてそれぞれをプラスチックの容器に入れ、家のあちらこちらに隠して犬に捜させるのだ。最初のうちはわかりやすい場所に隠す必要があるが、そのうちに、犬が夕飯の続きを見つけるのをもっと難しくしていく。

実際、かくれんぼ型のゲームはどれも効果がある。手伝ってくれる人がいれば（私の場合、遊びに来る孫たちがぴったりだ）、一人が隠れて、もう一人が犬に、見えなくなった人を探しておいで、とけしかける。たとえば「ベッキーを見つけなさい」といった命令を出すといい。最初のうちは、隠れている本人が、隠れている場所から犬を呼ばなくてはならないかもしれない。隠れていた人を見つけたら、犬はおやつかおもちゃをもらう。ある種の「犬版テニス」遊びをすることもできる――犬をボール代わりにして、最初に隠れた人（別の場所に移っている）を見つけに送り返し、それから二番目の人（こちらも移動している）を見つけに行かせる……というように。

飼い犬が外で過ごす時間が長いなら、気づいてほしいのは、庭というのは普通、塀の向こう側を何か面白いものがたまに通ったりする以外は、かなり退屈で味気ない環境であるということだ。だが、たとえば木の枝や、庭にある背の高い物からロープやタイヤのチューブを吊して犬が引っ張れるようにしたり、犬がトンネルのようにくぐったりよじ登ったりできる大きな箱を置いてちょっと地形を変えるなど、環境をもう少し刺激的にすることはできる。遊んでいる間に犬がまたいだり飛び越したりできる、小さめの丸太や塩化ビニルパイプ（直径一三センチかそこらがいいだろう）を地面に寝かせておいてもいい。二頭以上の犬を飼っているなら、後ろに隠れられるフェンスや中に身を隠せる囲いを置くのも効果的だし、犬がそれらを使って自分たちでゲームを考えることもよくある。子ども用のプールに水や砂を入れておいても、遊んだり交流したりする機会が増える。庭にあるものを頻繁に変えるのも刺激になる。

ただし、犬は概して、平均的な庭よりも、人が動き回る家の中を面白がる傾向にある。だから、犬に外に出てほしければ、ときどきはあなた自身が外に出て一緒に遊ぶといい。それはあなたとあなたの犬の関係を築くだけではなくて、あなたの犬の脳をより良いものにするのだということをお忘れなく。

PART 3

犬はどうやって
コミュニケーションをとるのか？

犬は何が言いたくて吠えるのか?

人間の場合、言語が持つ音はかなり恣意的なものだ。すべての人間にとって同じことを意味する言葉(音)は存在しない。同じ意味のことが、さまざまな言語で、異なった音を持つ。ペロ(perro)、シャン(chien)、フント(hund)、ドッグ(dog)はどれも同じことを意味しているが、これらの言葉を構成する音に共通点は何もないと言っていい。だが動物たちが互いにコミュニケーションをとるために使う音は、これよりもずっと統一性がある。音は動物の種《しゅ》によって異なるが、(鳥類が持つ地域的な「方言」を除いて)同じ綱《こう》の動物には、きわめて共通性の高い言語と、普遍的に理解される音の信号があるようだ。こうした信号には三つの特徴がある――音の高さ、長さ、頻度(繰り返しの速度)である。

●音の高さが意味すること

低い音(たとえば犬の唸《うな》り声)は普通、威嚇、怒り、そして攻撃の可能性を示す。こうした音は、「俺に近寄るな」という意味と解釈される。高い音はその反対で、近づく許可を求めたり、近づいても安全だと言っている。では犬はなぜ、音の高低に関するこうした法則を理解し、使う必要があるのだろうか? その答えはまず、大きなものは低い音を出す、という単純な事実に気づくことから始まる。たとえば、水の入っていないコップが二個あるとしよう。一つは大きく、一つは小さい。それぞれをスプーンで叩くと、大きなコップの方が低い音がする。もちろん、犬が出す音の高さを変えても、その犬のサイズが変わるわけではない。だったらなぜ、信号を受け取った側は、音が高いか低いかということに反応するのだろうか――音と物理的な特性が合致していないことが多いにもかかわらず？　はたしてまさにここからが、進化とコミュニケーションの発達が繰り広げる魔法なのだ。仮にあなたが動物で、周りに対してある信号を送り出しているとしよう。周りの動物たちがあなたの出す信号の音の高さに注意を向けていることを知っているあなたは、音の違いを、コミュニケーションの手段として意図的に使うことができる。別の動物を追い払いたかったり、自分の縄張りに入れたくないときには、唸り声のような低い音の信号を送り出して、自分は大きくて危険だぞ、と示唆する。あるいはこれと逆に、クンクン鳴くといった高音の信号を発して、自分は小さいから近づいても平気だよ、と言うこともできる。同様に、たとえ大きな動物でも、別の動物に近づく際に、脅かしたり危害を加えたりする気はないのだということを相手に伝えたければ、クンクン鳴いたり鼻を鳴らしたりして、自分は小さくて無害な動物のように振る舞うつもりであることを示せばいいのである。

●音の長さが意味すること

一般的に、音が長ければ長いほど、その音の意味することと自分が次にどんな行動をとるかについて、その犬が意識的に決めた確率が高い。その場を支配する犬が、自分の縄張りを死守しようとし、退却する気がまったくない場合、その威嚇の唸り声は、音が低く、また長く続く。短く破裂するような唸り声は怖れを表わし、自分の攻撃が成功するかどうか、犬に自信がないことを意味している。

●音の頻度が意味すること

速い速度で頻繁に繰り返される音は、ある程度の興奮と切迫感を示す。間隔のあいた音や繰り返されない音は普通、興奮度が低いことを示す。犬が窓辺でときおり一回か二回吠えるのは、何かについて、少しばかり関心があるにすぎない。ワンワンワンワン、と集中的に吠えるのを一分間に何度も繰り返すようなら、それが重要な局面であり、重大な危機が迫っている可能性もあると犬が感じていることがわかる。

吠え声は警告音だ。犬が吠えるのは、それが低い声で、唸り声交じりでないかぎり、誰かを威嚇しているのでも攻撃しているのでもない。では、一般的な吠え声をどう解釈すべきかを見ていこう。

●二〜四回速く続けて吠えたあと、ちょっと間をあける、を繰り返すのは、一番多い吠え方だ。典型的な警戒のための吠え方で、「仲間を呼べ。調べないといけないことが何か起きてるぞ」というような意味である。

●比較的立て続けに、普通の警戒音よりも低音で、よりゆっくり吠えるのは、切迫した問題を感じていることを示す。吠え声は、「侵入者が（危険が）迫っている。敵意があるようだ。身を守る準備をせよ！」という意味である。

●高音から中音で一度か二度短く吠えるのは、最も典型的な挨拶の声で、訪問者が友好的とわかると警戒の吠え声に取って代わることが多い。多くの場合、人は玄関を入るとこうやって迎えられる。「やあこんにちは！」と言っているわけで、たいていは、典型的な犬の歓迎の儀式がこれに続く。
●一回吠え、慎重に間をあけてまた吠えるのを長いこと繰り返すのは、犬が淋しがって仲間をほしがっている印である。
●前脚を地面にぴったり着け、後ろ脚を高く上げて、くぐもった声で「ぅ――ワンッ」と吠えるのは、単に「遊ぼうよ！」と言っている。

犬はなぜ吠えるのか？
やめさせることはできるのか？

吠えすぎる、というのは、飼い犬に関する最も一般的な苦情だが、犬が吠えるというまさにその事実こそ、人間と犬がそもそも協働関係を持つようになった理由の一つである。それは遠い昔、ずぼらな原始人たちが、自分たちの住処の外に生ゴミを放り出しておいたため、犬が人間の集落の周りをウロウロするようになったことに端を発している。その生ゴミは、犬たちにとっては狩りをせずに手に入る「ただ飯」だった。そこに犬がいることを私たちの祖先が容認したのは、ただ単に、犬がゴミを処分してくれるおかげで悪臭や害虫の数が抑えられたからだった。

間もなく人間は、犬が近くにいると他にもいいことがあるのに気づいた。危険な動物や、敵かもしれない見ず知らずの人間が集落に近づいてくると、犬たちが警告するのである。犬は常に緊張を緩めないので、夜を徹して人間が見張りに立つ必要がなく、おかげで休息時間が増え、ライフスタイルが改善された。集落のはずれで番をする犬が、家の中で暮らし、個人宅の番をするようになるまでの道程は短い。間もなく犬の吠え声は、客が来たことを家族に知らせるという害のない（呼び鈴代わりの）役目だったり、泥棒かもしれない人間が近づいてくるのを警告する、防犯ベルの役割を果たすようになった。個人

やある集団の安全を守るのに一番効果的なのが、大きな声で吠え続ける犬であることは明らかだろう。そのため、大きな声で吠える犬が飼われ、やはり大きな声で吠える犬と掛け合わされた。吠えない犬は役立たずとして処分された。実際、野生のイヌ科動物と飼い犬の違いの一つは、飼い犬は吠えるが、野生のイヌはめったに吠えない、という点である。

犬が吠えるのを人びとが嫌がる主な理由は、犬がなぜ吠えているのか、それに対して犬がどうしてもらいたいのかがわからないからだ。吠え方で一番多いのは、群れに警告を発するためのものだ。じつは、「こっちに来てこれ見てみろよ！　ヤバいかもしれないぜ！」というような意味なのである。二、三回続けて吠え、短い間をあけてそれを繰り返す。「ワンワン…ワンワン…ワンワン」という感じだ。その犬は、群れのリーダーや他のメンバーたちに、自分が見つけたものを見て、どう行動するのが正しいかを決めてほしいのである。

残念ながら、人間が家にいるときに犬がそういう吠え方を始めると、「静かにしなさい！　そんな声出さないで！　うるさい！」というのが人間の典型的な反応だが、それは良い手ではない。そういう反応をするのは、飼い主が犬語の基本をちっとも理解していないということだ。犬は、「こら！」「うるさい！」「やめなさい！」というような、大声で短く言う言葉を吠え声だと解釈するのである。つまりこういうことだ——犬は何か問題かもしれないことを知らせるために吠える。するとあなた（群れのリーダーと思われている）がやってきて同じく吠える。あなたのその反応は明らかに、あなたが、警告を発するべきであると犬に同意していることを意味し、そこで犬はますます死に物狂いで吠える、というわけである。

適切な反応は、犬があなたに伝えようとしているメッセージに気づき、それを認めてやることだ。一番いいのは、立ち上がって、犬がそれに向かって吠えている窓や扉を、犬によくわかるように、あからさまな仕草でチェックしに行くことである。ときには犬の警報が正しくて、あなたが対処しなければならないことがあるかもしれない。だがもしもそれが誤報で、近くに車が停まったり、隣の家に配達があっただけだったりした場合は、たとえば「いい子ね、でも大丈夫よ」というような穏やかな言葉をかけて、犬を安心させよう。それから頭を撫《な》でてやり、扉から離れさせて、あなたの隣に寝そべらせる。ほとんどの場合、犬はこれで満足する。なぜなら、犬は群れのリーダーに、問題かもしれないことをチェックしてほしがっているのであり、リーダーがそれをして危険がないとわかれば、吠え声で家中に警鐘を鳴らし続ける必要がなくなるからだ。

私たち人間は、わざわざ犬を吠えるように育ててきたのだということを忘れてはいけない。だからあなたの犬が、知らない人が近づいてきたり、窓の外に猫がいるだけで警戒の声を発しても、それを叱ってはいけないのだ。対処を要することが何もなければ、犬をそばに呼び寄せて、ちょっと頭を撫でたりさすってやったりするといい。あなたの犬は、私たちが何千年も前に犬に教えこんだ仕事をしているだけなのだから。

尻尾をふるのはどういう意味？

犬の行動についての最もよくある誤解は、尻尾をふっている犬はご機嫌で人なつこい、という通説だ。嬉しくて尻尾をふることもあるが、それ以外にも犬はさまざまな理由で尻尾をふる。怖かったり、不安だったり、対外的に問題があったり、これ以上近づいたら咬みつくぞ、という警告であることさえある。

尻尾をふるのはある意味で、人間の笑顔や礼儀正しい挨拶、あるいは感謝を示すうなずきと同じように、コミュニケーションの役割を持っている。たとえば笑顔というのは社会的な信号で、人間は、他にその笑顔を見る人がいる状況のときでなければまず笑わない。犬が尻尾をふるのも、それと同じ特性があるようだ。犬は、人間や他の犬、猫、ウマ、あるいは風で綿ほこりの塊が転がって生きているように見えたときなど、生きているものにしか尻尾をふらない。そして、独りでいる犬が、生命を持たないものに対して尻尾をふることはない。あなたが餌の入ったボウルを床に置けば、犬はあなたに感謝を表わすために尻尾をふる。ところが、犬が部屋に入ったときにボウルに餌がいっぱい入っていると、犬は嬉しそうに近づいて餌を食べはするが、尻尾をふることはない——興奮のためちょっと尻尾が震えることはあるかもしれないが。この違いは、尻尾をふるのがコミュニケーションであり言語であることを示す証拠の一つだ。私たちが壁に話しかけないのと同様に、犬は、一目見て生きているものでなければ尻尾

をふらないのである。

尻尾をふるのが言語だとしたら、私たちはその語彙と文法を知る必要がある。情報源は主に、尻尾の位置と動きのパターンだ。犬の目は、色彩や形のディテールよりも動きに対してずっと敏感で、動いている尻尾は他の犬によく見えるので、尻尾の動き方は信号として非常に重要である。進化の過程は、他にもいくつか、尻尾がよく見えるような工夫を施した――尻尾の先端の毛の色を明るく、または暗くしたり、下側の毛の色を明るくしたり、尻尾をふさふさにしたり。

尻尾の位置、特に尻尾を持ち上げる高さは、一種の感情メーターである。尻尾が斜め下に垂れていれば犬はリラックスしている。地面と平行に持ち上げていれば、犬は何かに用心し、警戒している。尻尾の位置が高くなればなるほど、犬は威嚇的態度を強めていき、尻尾がまっすぐ上に立っているときは明らかに「俺が大将だぜ」という意味、あるいは、「引っこんでろ、さもないと痛い目に遭うぜ」と警告しているのである。尻尾が低い位置にあるのは、服従的な態度や、不安、あるいは体の具合が悪いという印だ。それが極端になると、尻尾を体の下に丸めこむ。怖がっている印で、「お願いです、危害を加えないでください」と懇願しているのである。

のんびりした南部訛りや船員言葉、ニューイングランド地方の鼻にかかった訛りなど、人間の言葉に方言があるのと同じように、犬の尻尾言葉にも方言がある。犬種によって尻尾の高さは異なり、ビーグルやテリア種の多くはもともと尻尾がほとんどまっすぐ上に立っているし、グレーハウンドやホイッペットなどは低く垂れている。したがって、尻尾の位置の意味は、その犬の尻尾の通常の位置との関係で読み取らなくてはならない。

尻尾の動かし方によっても、さらに合図に意味が加わる。尻尾をふる速さは犬の興奮の度合いを示し、尻尾の振れ幅はまた別だ。尻尾の振れ幅は、興奮度よりも、感情的にポジティブかネガティブかを教えてくれる。

尻尾の位置とその動きはどのように組み合わされるのか、比較的よく見られる尻尾のふり方を解釈してみよう。

●尻尾をわずかに、小さくふるのは、通常、挨拶のときに見られ、ためらいがちな「こんにちは」だったり、何かを期待している「僕はここだよ」と解釈できる。

●尻尾を幅広にふるのは「君には敵対意識はないし脅かしているのでもないよ」という友好的な合図だ。また、「嬉しいな」という意味である場合も多く、これが一般的に「幸せ」を表わす尻尾のふり方と思われているものだ。特に、尻尾につられて腰も動くようならなおさらである。

●「半旗」を掲げたような位置でゆっくりと尻尾をふるのは、他の尻尾のふり方よりも社交的意味が低い。一般的に、特に支配的なポジション（高い位置）でも服従的なポジション（低い位置）でもない高さでゆっくりと尻尾をふるのは、不安に感じている、次にどんな行動をとればいいかわからない、という印だ。

●尻尾を細かく、速いスピードで、震えているかのように動かすのは、その犬が何かの行動（たいてい、走るかけんかするか）に出ようとしている印だ。尻尾を高く上に上げて振動させているときは、積極的に威嚇している印である可能性が高い。

犬の尻尾を切るのはなぜか？

愛犬家のグループや獣医たちに激論を戦わせたくなったら、犬の断尾のことを持ち出せばいい。断尾に対する反対意見の多くは、犬の尾を切断するのは残虐な行為だ、というものだ。この問題は猛烈な勢いで政治の世界にまで広がり、世論の圧力によって断尾が全面的に禁止された国もいくつかある。だが、この問題には二つの側面がある。

尻尾は役に立つ。犬は尾で重要な社会的信号を送り、それを他の犬が解釈するのである。尻尾の高さ、毛が逆立っているかどうか、動かしたりふったりするときの大きさ、さらにその形（まっすぐか、少し湾曲したり折れ曲がったりしているか）さえも、重要なコミュニケーションの信号として、犬の気持ちや、その状況の中でどういう立場にいるのかを伝えるのだ。断尾した犬は、他の犬と敵対関係になる確率が高いようだとの報告もある。断尾した犬が送り出す信号が曖昧なためにこうした衝突が起こる、という論旨だ。

断尾が犬のコミュニケーションを邪魔するのなら、なぜそんなことをするのだろうか？　断尾に反対する人たちは、それは単に見た目をよくするためだけに行なわれているのだと主張するが、その始まりは、ドッグショーのために特定の外見の犬を作りあげようと懸命なブリーダーたちによる、単なるファ

ッションではなかった。たとえばスパニエル種の多くは日常的に断尾が行なわれるが、彼らには、優雅な、毛並みの良い尻尾があって、とても美しいのだ。歴史的に見ると断尾は、外見ではなく、犬の仕事に関係する実用的な理由があって始まったことなのである。

断尾をする第一の理由は、警備の仕事と関係がある。たとえばあなたが犯罪者で、ドーベルマンの脇をすり抜けようとしているとしよう。尻尾が長いと、犬は番犬としての能力が発揮できない——なぜならあなたは犬の尻尾を摑んで、咬まれるのを防ぎながら犬の行動を制御することができるからだ。こうやって、犬の動きを十分な時間封じることができれば、仲間が犬に重症を負わせ、あなたも仲間も傷を負わずにすむ。つまり、番犬にとって、尻尾があることはマイナスなのだ。このため、番犬の多くは尻尾が短く切ってある。尻尾がなければ、悪者にやすやすと摑まれることがないからだ。

もちろん、断尾されている犬のすべてが番犬なわけではない。尻尾の一部、あるいは全部を切るのが通例となっている犬種は五〇種以上ある。その多くにとって、もともと断尾は、よくある怪我を防ぐための単純な処置だった。生い繁った草木やイバラの中、あるいは岩だらけの土地を、獲物を追って走らなければならない猟犬は、尻尾を怪我することがことのほか多い。自然に前後に揺れる動きのせいで、尻尾は簡単に裂けたり、折れたり、出血したりする。そうなると、痛むし、治療は難しく、成犬の場合、より危険な切断が必要になることもある。若いうちに断尾しておけば、明らかにこうした怪我のリスクは排除することができるのだ。

ジャーマン・ショートヘアード・ポインターを対象にスウェーデンの断尾犬協議会が行なった近年の調査で、断尾の有用性が立証された。スウェーデンで一九八九年に断尾が禁止されると、その後、この犬種では、尻尾の怪我の報告が目に見えて増加したのである。一九九一年、研究者らは、断尾されていない一九一頭のジャーマン・ショートヘアード・ポインターを調査した。このときこれらの犬は生後二四か月から三〇か月だったが、驚いたことにその五一パーセントが、なんらかの治療を必要とする尻尾の怪我をしたことがあったのである。こうした怪我の頻度と重症度は、ある明らかな要因と関係があるように思われた。科学者らは、犬の活発さとその尻尾の動きを要因の一つとしてあげた。狩りに使われた頻度と、どういう地勢を走ったか、というのもまた重要な要因だった。低木が繁ったところや森、あるいは岩の多い土地での狩りに使われた犬は、湿地帯や平らな草原での狩りに使われた犬に比べて、尻尾を怪我することがずっと多かった。

ラブラドール・レトリーバーのように、太くてしっかり筋肉のついた尻尾を持つ犬は、断尾されることはないし、怪我をすることも少ないようだ。ビーシュラのように、尻尾の根元の方はかなり強靭だが、先端に近い方がくるりと上向いていることが多く（したがって障害物にひっかかりやすく）、低木や岩から尻尾を守る脂肪や筋肉がない犬種もいる。そのため、ビーシュラは普通、尻尾の先三分の一だけが断尾される。つまりこうした犬を子犬のうちに断尾するのは、成犬になってから、痛みをともなったり命を脅かしかねない怪我をするのを防ぐ方法であったことは明らかだ。

断尾の理由として一番奇妙なのはおそらく、オールド・イングリッシュ・シープドッグだろう。農場主たちは、子犬の多くが尻尾がないも同然で生まれてくる犬種を作ろうとした。自然に尻尾なしで生まれてこなかった子犬は、第一関節から断尾され、五センチ以上残されることはなかった。その結果、この犬には「イングリッシュ・ボブテイル」というニックネームがついた。断尾の理由はこうだ。一八〇〇年代初頭のイギリスでは家畜に税金が課せられており、農民たちは所有する家畜の一頭一頭について税金を払わなければならなかった。課税のために、「動物」は「人間の親指よりも長い尻尾を持って生まれる獣」と定義された。オールド・イングリッシュ・シープドッグの多くは尻尾なしで生まれてきたし、そうでないものもごく幼いときに断尾されたので、収税官には、その犬の状態が生まれつきなのか、外科手術によるものなのかが判断できず、結局オールド・イングリッシュ・シープドッグは課税を免れたのである。

犬はなぜ遠吠えするのか？

オオカミやコヨーテなど、野生のイヌ科動物と言うと私たちが思い起こす音は、その遠吠えだ。飼い犬は野生の親戚よりもよく吠えるが、遠吠えはずっと少ない。オオカミにとって、遠吠えにはいくつもの役割がある。狩りのために群れを集めるのがその一つだ。オオカミは夕方と早朝に狩りをするので、当然ながら、オオカミの遠吠えを聞く可能性が一番高いのもその頃だ。散り散りになって、夜の間やぶの中で眠っていたり、昼間身を隠して休んでいた群れのオオカミたちが、遠吠えによって集まってくる。飼い犬の場合は飼い主によって食料を供給されるので、仲間を集めて毎日一緒に狩りをするために遠吠えをする必要はない。

遠吠えにはまた、群れに帰属している、というオオカミのアイデンティティを強める社会的な役割もある。オオカミは（あるいは犬は）、遠吠えの声を聞くと、群れのメンバーが集まって群れの歌に加わる。遠吠えは、仲間と交流したいというリクエストなので、無理矢理閉じこめられて独りぼっちになったり家族や群れから引き離された犬は、遠吠えをすることが多い。淋しさからくるこうした遠吠えは、群れが遠吠えするのと同じ役割を持っている。自分の群れのメンバーだと考える他の犬や人間を呼び寄

せようとしているのである。

ただし、すべての遠吠えが同じではないということを理解することが重要だ。最もよくある二つのタイプは、キャンキャンという鳴き声の交じった遠吠えと、社交を目的とした遠吠えである。

●鳴き声交じりの遠吠えは、「キャン、キャン、キャン、ワオーン」というふうに、最後の遠吠えを長く伸ばす。これはたいていの場合、「淋しいよ」とか「見捨てられた」、または「誰かいる？」という意味だ。地下室やガレージに一晩閉じこめられたりして、家族から引き離された飼い犬の遠吠えは、このタイプである可能性が高い。

●社交を目的とした遠吠えは最も典型的な遠吠えで、静かに始まり、連続した、長い声を出す。たまに、ちょっと高めの音で始まってからメインの音に落ち着いたり、最後の方で音がもう少し低くなることもある。キャンキャンという鳴き声の交じった遠吠えと比べて、人間の耳にはもっと朗々として聞こえ、よく「悲しげな」声と描写される。こういう声は、「俺はここだぞ！」とか「ここは俺の縄張りだぞ！」などと言っているのである。自信のある個体はよく、単に自分の存在を示すために遠吠えする。別の犬の、キャンキャンという鳴き声交じりの遠吠えに応える形で遠吠えすることも多い。その場合は、「そこの君、聞こえてるよ！」という意味になる。

遠吠えは社交のための音なので、他のオオカミや犬たちが合唱に加わることがある。いったん遠吠えが始まると、楽しげな大合唱になることも多い。その歌声はしばらく続き、その地域、あるいは近隣住宅街のそこらじゅうからオオカミや犬が参加する。こうした野生のコンサートの折に、イヌ科の動物たちは音楽に対する感受性を見せる。オオカミの遠吠えを録音したものを聴くと、他のオオカミが遠吠えに加わるとオオカミは音程を変化させることがわかる。オオカミたちはみな、合唱中の他のオオカミと同じ音程になるのがお嫌らしい。

遠吠えと追い鳴きはどこが違うのか？

「追い鳴き（ベイイング）」は、獲物を追っている猟犬が、探している獲物の匂いを見つけた、と思ったときにする吠え方のことだ。初めて追い鳴きを聞くと、遠吠えに似ていると思うかもしれない。だが研究によれば、追い鳴きの音は遠吠えより複雑だ。追い鳴きにはさまざまな音程が含まれているし、遠吠えが一つの音程を長く伸ばすのに対し、追い鳴きは一回一回が短い。私には、追い鳴きは遠吠えとヨーデルが混ざったように聞こえる。遠吠えより興奮した音であることは間違いないし、嬉しそうな熱意が感じられることが多い。

猟犬は、獲物の匂いを見つけたことを示すために追い鳴きをする。この場合、「俺の周りに集まれ」という意味を持っている点は遠吠えと共通しているが、それは淋しいからではなくて、狩りへの協力を求めているのだ。群れのうち、ある時点で獲物の匂いを捉えている犬は数頭にすぎないかもしれない。追い鳴きの声は、群れの他の犬にとっては「ついてこい、俺は匂いを見つけた」という意味なのだ。匂いがだんだん強くなり、獲物が近いことがわかると、追い鳴きの歌うような感じはなくなって、一回一回が短く、より回数が増える。そのメッセージも変化して、「やっつけようぜ！」とか「一斉にかかれ！」という意味になる。

獲物を追跡中の猟犬の追い鳴きは、群れの他の犬たちにとってだけでなく、一緒に狩りをしている人間にとっても非常に重要である。狩猟犬にとっては、追い鳴きの最も重要な役目は、群れの居場所がいつでもわかるということだ。狩猟犬と、狩猟犬を使って獲物を探し追跡する人間のどちらにとっても、鳴いている犬の数とその鳴き声の激しさは、獲物の匂いがどれくらい強くて新しいか、つまり獲物がどれくらい近いところにいるかを知る手掛かりとなる。科学者たちは、追い鳴きをしないブラッドハウンドを育てるのが可能であることを実証してみせたが、ブラッドハウンドを仕事に使う人びとはそれに反対する——狩りや捜索の進行状況についての貴重な情報が得られなくなってしまうからだ。

追い鳴きする犬の群れは、ときとして非常に美しいメロディーを奏でる。過去には、一番美しいハーモニーとなるように、狩人が意図的に猟犬を選ぶこともあったのだ。たとえば一六一五年には、ジャーヴェス・マーカムが著書『Country Contentments（田舎暮らしの愉しみ）』の中で、猟犬の群れを「調律」して異なった音を奏でさせることができる、と書いている。美声の群れを作りたければ、「体が大きくて、厳かな声を出す犬数頭に合唱団のベース役をさせ、その倍の数の、声が大きくてよく響く犬をカウンターテナー役に、そして地味だが良い声の犬数頭に中間のパートを担当させる」といい、とマーカムは勧めている。そして最後に、調和のとれたシンフォニーを奏でるには、「群れの中に、声の良い小型ビーグルを二頭から四頭ほど投入し、その高い音域を鳴り響かせる」といいだろう、と。

犬が遠吠えするのは、誰かの死が近い、という意味か？

犬には、超自然的な力、つまり霊能力がある、という考えは、昔からさまざまな文化圏にある。ほとんど世界中どこでも信じられているのが、犬が遠吠えすると誰かが死ぬ、というものだ。私はケンタッキー州でアメリカ陸軍の訓練を受けている最中にその一例に遭遇した。リラおばさん、としか知らない、ある老婦人が私に、犬が二回続けざまに遠吠えするときは男性に、三回なら女性に、死が近づいているという意味だと言ったのである。「犬は、間もなく亡くなる人がいる方角を向くのよ」と彼女は言った。「私の父は、犬がお前に背中を向けて遠吠えするのは幸運だ、と言ったわ」

犬の遠吠えと死の関連づけはエジプトに起源があると言う人もいる。エジプトでは、死者の世話をする神はアヌビスといって、犬の頭を持つとされていた。そこで人びとは、遠吠えをする犬は誰かの魂をアヌビスのもとに呼び寄せている、と信じたのだ。

アイルランドでは、犬が遠吠えをするのは、死にいく者の魂を集めながら天空を疾走するワイルドハント〔訳注：狩猟道具を携えた伝説上の猟師の一団が、ウマや猟犬とともに空や大地を大挙して移動していくという、ヨ

ーロッパに伝わる伝承）を先導する猟犬たちの音を聞きつけたからだ、と信じられている。

古代スカンジナビアの神話にはもっと面白い説明があって、愛、豊穣、魔法の担い手であり、だが同時に死の女神でもあったフレイヤが登場する。彼女は猛り狂う嵐の只中を、巨大な猫が引く戦車に乗って駆け抜ける。猫は犬の天敵なので、フレイヤと謎めいた彼女の猫たちが近づくのを感じると犬たちが遠吠えを始める、というのである。

超自然的な説明を無視すると、犬の遠吠えはやがて起こる死の予兆であると人びとが考えるのはなぜなのかを、別の方法でシンプルに説明することができる。それにはまず、人間が持っているおなじみの思考傾向が関係している。心理学者が「確証バイアス」と呼ぶものにもとづく選択記憶の一種で、本書でも、なぜ人びとは犬に超能力があると考えるのかについて説明したときに登場している。確証バイアスとは、人びとが、自分の意見を裏づける事象に気がつく、あるいはそういうものを探し求めさえする一方、それに反する事象は無視、またはその妥当性を過小評価するという傾向である。典型的な例では、満月が犯罪率や傷害率を上昇させると信じる人は、満月のときに報道された犯罪や傷害事件にはよく気がつくが、同じことが満月以外のときに起きても、気がついたり記憶にとどめたりしにくい。言うまでもなく、こうしたバイアスは次第に、満月と犯罪や事故の発生との関連性について、道理に合わない信念を生み出す。

さて、犬の遠吠えの場合はどうか。仮に家族の誰かが病気だとしよう。その人の看病をする必要性から、普段なら家の中にいる犬が、この場合は邪魔者、厄介者、あるいは病人を煩わせる音の出所と見なされるかもしれない。そこで犬は外に出されたり、しばらくどこかに閉じこめられる。こうして、いつもは家族とともにいて、そればかりか普段は病気の人と同じ寝室で寝ているかもしれない犬が独りぼっちになる。犬が孤独感から遠吠えすることはわかっている。彼らは群れの仲間の支えを求めて呼んでいるのだ。家の中にいる家族はこの、意外な犬の行動に驚き、ただこんなふうにだけ記憶するかもしれない──「おじいちゃんの犬はそれまで遠吠えなんかしたことなかったのに、おじいちゃんが亡くなった夜はすごく悲しそうに遠吠えしたのよ。最期が近いことを知っていたのね」。事の真相は、その犬がそれまで遠吠えをしたことがなかったのは、それまで一度も、家族から引き離され、閉じこめられたことがなかったからなのかもしれないのだ。

こうして迷信が生まれる準備が整う。それは次のような要素を含んでいる。

1　誰かが重病のときに、家から犬を連れ出すのはよくあることである。
2　重病の人は亡くなる可能性がある。
3　隔離されて淋しい犬は遠吠えをする可能性が高い。
4　私たちはもともと、犬が遠吠えをするのは不吉な出来事の予兆だと考える習慣がある。

こうした偶然の出来事と、自分の予想が当たっていた場合だけを記憶する人間の傾向が組み合わさると、必要なお膳立てはすべて整って、超常現象を感知し未来を予知する犬の超能力の例がまた一つ加わる──たとえば、誰かの死が近いと遠吠えをする、というふうに。

犬は本当に、コミュニケーションのために尿を使うのか?

犬の感覚のうち、最も優れているのは嗅覚である。だから犬にとって、匂いを読むというのは文字で書かれたメッセージを読むようなものだ。だが、もしも犬が他の犬に向かってメッセージを書きたい場合、犬は何を使うのだろう? いろいろな意味で、犬にとってのインクは尿である。尿の中に、年齢、性別、感情の状態、発情期かどうか、そして健康状態など、その犬についての情報を伝えるさまざまな化学物質が溶けているのだ。社交的な情報を伝える匂いを生み出す化学物質は「フェロモン」と呼ばれる。犬には「ヤコブソン器官」または「鼻鋤骨器官《びじょこつ》」という、匂いを感知する特別な嗅覚器官がある。これはホットケーキのような形をした、特殊な受容細胞から成る小袋で、口蓋《こうがい》のすぐ上にあり、口と鼻の両方に管でつながっていて、匂いの粒子が入れるようになっている。この器官が持つ神経の数や血流の多さは、それが犬にとって重要な器官であることを物語っており、さらに、犬の脳の嗅球に、この特殊な小受容体から得られる情報の処理に特化した部分があるという事実もこのことを裏づけている。

犬の尿にはフェロモンが溶けているため、その犬に関する多くの情報が含まれている。他の犬がよく通る道沿いの消火栓や木は、犬のおしっこの標的にされることが多いので、その匂いを嗅げば、最近の出来事についていくのに大いに役立つ。一本一本の木が、犬の世界の最新ニュースを伝える大衆紙のようなものなのだ。そこには犬版の純文学は連載されていないかもしれないが、ゴシップ欄や、出会いを求める個人広告欄があることは確かである。

私の犬たちが、他の犬が頻繁にやってくる街頭の電柱や街路樹の匂いを嗅ぐのに忙しくしている間、私は彼らがニュースを声に出して読んでいるところを想像することがある。もしかすると今朝の新聞はこんなふうかもしれない――「ジジ、ミニチュア・プードルの若いメス。越してきたばかりで交際相手を探しています。去勢済みの方お断り」。あるいは、「頑健な中年のジャーマン・シェパード・ドッグ、ロスコは、彼がボスであること、この街全体が彼の縄張りであることを宣言した。彼は、この主張に異議を唱えたくば、自分の医療保険の払いが滞っていないことを確認すべきである、と述べている」

犬が読むものと人間が読むものの一番大きな違いは、人間は記事を最後まで読める、という点だ。たいていの犬は、見出しを読んだところで、リードを引っ張られ、その場から連れ去られてしまう。なぜならば、犬の飼い主の多くは、他の犬が残したおしっこの匂いを嗅ぐという行為を、不潔な、気持ち悪いことと見なすからだ。愚かな飼い主の中には、近所のニュースを把握しようとした自分の犬にお仕置きをする者さえいるのである。

脚を上げておしっこするオス犬がいるのはなぜか？

　オス犬が尿で書いたメッセージを掲載する場所として、消火栓や街路樹の人気が高いのは、オス犬は垂直の面に「マーキング」するのを好むからだ。地面より高いところにある匂いは、風に乗ってずっと遠くまで運ばれるのである。犬は尿を使って自分の縄張りをマーキングすることが多いので、メッセージがしばらく消えずにいることは重要だ。地面より高いところにある垂直面は、メッセージがより長く残る——水たまりができる水平面と比べて、雨でメッセージが洗い流される可能性が低いからだ。

　地面より高い垂直面を狙っておしっこする理由でもう一つ、非常に重要なのが、マーキングの位置によって、マーキングした犬の体の大きさがその地域の犬たちに伝わる、ということだ。犬にとって、体の大きさは支配権を決定する重要な要因である。支配する、というのはメス犬よりもオス犬にとってより重要らしく、それでオス犬は、より高いところを狙っておしっこできるように、片脚を持ち上げておしっこする習慣を身につけたのだ。さらに、マーキングの位置が高いほど、別の犬がその上からマーキングしてメッセージを覆い隠すのが難しくなる。

中には、尿を媒体にして、人間で言うところの「イメージ操作」にいそしむ犬もいる。他の犬に対して、自分がその地区の「大物」である、と納得させるため、おしっこの跡を、マーキングしようとしている垂直面のできるだけ高いところにつけようと試みるのだ。ときどき、脚を持ち上げるだけでなく、体を後ろに傾けて尿がより高い放物線を描くようにしようとして、あわや倒れそうになっている犬を見かけることがある。

私は一度、ものすごく高いところに尿でマーキングしようとする犬の奇想天外な一例を見たことがある。その犬はバセンジーだった――アフリカ原産の小型視覚ハウンド〔訳注：嗅覚ではなく視覚により獲物を追跡する猟犬〕で、今もその行動の多くがアフリカの野生犬に近いと考えられている犬だ。頑健な、去勢されていないオスで、名前をゼブというそのバセンジーは、野生犬がときとして使う放尿パターンを使っていた。ゼブは一本の木に狙いを定め、一直線にその木に向かって走っていく。木の根元に近づいたところで跳び上がり、後ろ脚がほぼ木を駆け上がるようになる。走ってきた勢いで、通常、木の幹の下から一・五～一・八メートルくらいのところまで届く。そして、駆け上がった最高地点からくるっとひっくり返り、完璧な輪を描いて地面に降り立つのである。この奇妙な行動の真の目的は、この曲芸顔負けの宙返りをしながら、ゼブがずっとおしっこをしていたという事実が示している。もちろんこの儀式によって残されたおしっこの匂いのする筋は、付近のどんな犬がつけたものよりもずっと高いところにある。ゼブの近くに住む犬たちはゼブのメッセージを読んで何を思っただろうか、と私はよく考える。「う～む、どうやら近くにキングコング並みの犬が住んでいるらしいぞ」とでも思っただろうか。

脚を上げるのは普通はオスだが、メスが脚を上げるのも珍しいことではない。それは、メス犬の自尊心と自信に多少関係があるようだ。一般的に、支配的傾向のあるメスは放尿時に脚を上げ、臆病であまり自信のない犬は脚を上げることも少ない。性的な状態も関係しており、避妊手術を受けたメス犬が脚を上げることはずっと少ない。ただし、支配的なメス犬は、子どもが産めなくなったあとも脚を上げることがある。また、環境にも関係がある。避妊処置されていないメス犬が周りにたくさんいると、どんなメス犬でも放尿時に脚を上げることが多くなる。たとえば、街中で飼われているメス犬の多くが避妊処置されていないデンマークでは、ほとんどのメス犬が避妊処置されているアメリカやカナダと比べて、メス犬が脚を上げるのを見る可能性が高いだろう。

犬はなぜ、股ぐらの匂いを嗅ぐのが好きなのか？

犬が人間に駆け寄ってきて股間の匂いを嗅いだり、お尻に鼻先をつっこんだりして、ばつの悪い思いをすることがよくある。本書でもすでに触れたように、犬の鼻は、動物にとって特別な生物学的意味のある匂い——具体的にはフェロモンといって、動物が他の個体に情報を発信するために分泌する、匂いを発生させる化学物質のこと——に敏感にできている。「アポクリン腺」と呼ばれる特殊な汗腺から、その動物の年齢、性別、健康状態、さらに感情的な状態などの情報を含むフェロモンが分泌されるのである。犬、そしてその他のほとんどの哺乳類のアポクリン腺は体中に分散しているが、性器と肛門の付近にはより密集している。フェロモンを分泌するアポクリン腺は毛包《もうほう》の中にもあって、そのため犬の毛はこれらの化学物質に覆われ、濃縮されて、他の犬による識別がしやすくなる。こうした分泌物は、分泌されるとほとんどただちにバクテリアによる分解が始まり、匂いは変化し、強くなる。フェロモンの匂いによって、性別、年齢、健康状態、その個体の気分が識別できるだけでなく、そこには性的な情報もたっぷりと含まれている——メスの場合、発情周期のどのあたりにいるかとか、妊娠中、あるいは偽《ぎ》妊娠《にんしん》中かどうか、などである。

人間のアポクリン腺は体の特定の部位にしかなく、最も集中しているのは脇の下と性器周辺なので、犬は、他の犬の性器の匂いを嗅ぐのと同じ理由でこれらの部分の匂いを嗅ぐ。他の犬に遭遇したときと同様に、犬が初めて会う人はこの手の注目を最も注がれることとなり、性的な匂いがする場合は特にそうだ。最近性交渉を持った人には犬は特に興味を示すようである。月経中だったり、子どもを産んで間もない女性（授乳中ならなおさら）も、無礼な犬に性器周辺の匂いを嗅がれることが多い。

女性の排卵もまた、フェロモンを変化させ、犬を引きつけるようだ。研究者の中には、犬が股間の匂いを嗅ぐ頻度は排卵の時期に大きく上昇することに気づき、この事実を利用した人がいる。オーストラリアン・シェパードを、排卵したばかりのウシを見分けるよう訓練し、牧場主が、短いウシの妊孕期《にんようき》の間にうまく交配できるようにしたのである。犬の「嗅ぎ分けテスト」は、排卵を予測する他のほとんどの方法に比べ、ずっと容易だし信頼できる。もしかしたらこれは、新しい形で人間を補助する補助犬となり得るのではないだろうか。宗教的あるいは文化的な理由から、避妊法としてリズム法〔訳注：女性の月経周期にともなって起こる体の変化にもとづき、妊娠しやすい日と妊娠しにくい日を予測する方法〕しか使わない女性は何百万人におよぶが、特別に訓練された犬がいれば、妊娠可能期を知ることができるのだ。

股間の匂いを嗅ぐのは犬のごく自然な行動にすぎないのだが、犬が匂いに含まれるメッセージを求めて自分の体に触れることにネガティブな反応を示す人は多い。たとえば、コネチカット州ウォーターバリーに住む地方政治活動家、バーバラ・モンスキーは、股間の匂いを嗅がれることに対して極端にネガティブな反応をとった。犬に匂いを嗅がれた彼女の拒否反応はあまりにも強く、彼女はコダックという名のそのゴールデン・レトリーバー犬と、飼い主であるハワード・モラハン判事を訴えた。具体的には、モラハンをセクシュアル・ハラスメントで告発したのである。モラハン判事はダンベリー最高裁判所にコダックをしばしば同伴した。モンスキーによれば、この裁判所でコダックが、少なくとも三回、彼女のスカートの中で「鼻を押しつけたり、匂いを嗅いだり」して性的な嫌がらせをした、ということだった。モンスキーの告発は、判事がこの嫌がらせに加担したという主張にもとづいていた――なぜなら判事はこの嫌がらせをやめさせようとしなかったからである。世界中の犬の飼い主には朗報だが、連邦地裁のジェラルド・ゲーテル判事はこの訴訟を棄却した。その後のインタビューで判事は、「犬が無礼な行動をとっても、飼い主がセクシュアル・ハラスメントをしたことにはならない」と説明した。

去勢した犬が、なぜ他の犬にマウンティングするのか？

マウンティング行動（くだけた言い方は「ハンピング」）というのは、犬が別の犬の腰に抱きつき、後ろ脚で立って自分の腰をぐいぐい押しつけることで、犬の性行動の一部である。ただし、通常の犬同士の交流においては、ほとんどの場合そこに性的な意味合いはなく、むしろ社会的優位性と深い関係がある。

マウンティング行動が、性的な意図とは比較的無関係であることは、幼い子犬の行動を観察すればわかる。子犬たちは、生後六〜八か月で思春期が訪れるはるか以前からこうした行動をとるのである。子犬のマウンティング行動が始まるのは、歩けるようになって間もなく、他の子犬と遊ぶようになってからだ。これは社会的に重要な行動であって、性的な意味はない。子犬にとってマウンティングは、自分の身体能力と社会的ポテンシャルについて学ぶ最も初期の機会の一つなのである。基本的にそれは、自分が社会的に優性であることを表現する。より強く、より社会的な力のある子犬が、ただ自分のリーダーシップと支配的な位置を誇示するだけのために、より従順な同腹の兄弟姉妹にマウンティングするのだ。そしてこうした行動は大人になっても引き継がれるのだが、そこで重要なのはパワーと支配力であ

り、セックスではない。

マウンティング行動は社会的な優位性を示すために使われ、繁殖とは無関係な場合があるので、その社会的な意味はオスにもメスにもあてはまる。ある犬が、他の犬に対して社会的に優位に立とうとする、あるいはそれを主張する表現として、同性同士でも異性間でも起こり得る行動なのだ。したがって、オス犬が別のオス犬にマウンティングするのは同性愛の傾向を示しているわけではなく、単に「ここじゃ俺がボスだぞ」と言っているにすぎない。またメス犬も社会的地位の表現としてマウンティングを使うことがある。他のメス犬に対して、またオス犬に対してさえ支配的な立場にいるメス犬はいるし、そのことを、マウンティングによって誇示してみせるのである。

これは性的な混乱が起こっているということではない——犬社会の動的な構造においては、性だけが重要なわけではないからだ。犬の世界における地位はむしろ、体の大きさと身体能力、それに、気性、意欲、気力といったような特徴によるところが大きい。伝統的には、犬社会の構造には三種類の順位制があると解釈されてきた。

- 群れ全体における順位は、頂上にいるリーダーに始まり、徐々に低くなって最下位の負け犬に至る。
- それぞれの性にアルファ・ドッグ〔訳注：ボス犬のこと〕がいる。つまり、アルファオスとアルファメスがいて、そのどちらかが群れ全体のリーダーとなる。
- オス、メスともに、アルファ・ドッグの下にそれぞれの順位づけがある。

マウンティング行動は、これらの順位制のいずれにおいても自分の優位を主張するのに使われるので、オスがオスに、メスがメスに、オスがメスに、あるいはメスがオスにマウンティングするのを目にすることがあり得るのだ。どれも、性的に相手を口説いているわけではない。そうではなく、それは、マウンティングしている方の犬が、大きな社会的野望を抱いていることを明快に示していると捉えるべきだ。社会的に優位な「勝ち犬」〔訳注：英語では top dog〕は、文字通り上にいる方の犬である。

マウンティング行動は、他の犬との関係において、より高い社会的地位を獲得しようとする試みであることが最も一般的なので、去勢すれば犬がマウンティングするのを止められるというのは誤った通念だと聞いても、驚くにはあたらないだろう。去勢すれば、テストステロンなど、犬が持つある種の性ホルモンは除去され、こうした雄性ホルモンが減少すればオス犬の攻撃的傾向がやわらげられて、順位づけ行動の一部は減少する。その結果、マウンティング行動を見せる回数も減るかもしれない。だが、去勢することで犬の基本的な特徴や性格が変わるわけではないので、支配的傾向があり、リーダーになりたがる犬は、去勢されたあともマウンティング行動を続けるかもしれないのだ。性ホルモンの除去は、その犬が社会的野望を追いかける、その激しさを緩和させるにすぎない。ただし、去勢されるときの年齢が高いほど、支配志向は減少しにくい――テストステロンの分泌が、すでにその犬の脳の発達に影響を与えてしまっているからだ。

自分の飼い犬がマウンティング行動をとるのが許せない人は多いが、歯を剝き出し、獰猛に相手に襲いかかる実際のけんかに比べれば、それはかなり抑制された、害のない行為である。

犬が人間にマウンティングしようとすることもよくある。マウンティング行動は概して自分の優位性を訴えるためのものであることを考えると、あなたの膝を抱えこんで嬉しそうに腰をぐいぐい動かしている犬は、「愛してるよ」と言っているのでも、単に「色気を出して」いるのでもないことがおわかりだろう。犬が人間にマウンティングするとき、彼らはまず間違いなく、自分の方が支配的な立場にいる、という気持ちを表現しているのである。要は群れのリーダーになりたいのだ。こうした犬からの「交渉」を許してはいけない。やめさせて、正常な社会的序列を維持しなければならない——人間は常に、犬より優位でなければいけないのだ。

犬はなぜ、ゴミや糞便など、臭いものの中で転げ回るのか？

ごく正気に見える自分の飼い犬が、生ゴミや糞便、その他、人間の鼻にはいずれも不快な匂いのするものの中で転げ回るのはなぜなのか、とよく聞かれる。中には、海岸沿いを散歩させるのはやめた、という男性もいた——死んだ魚や、腐った有機物の混ざった海藻の塊が浜に打ち上げられているのを見ると、悪臭を放つそのどろどろしたものめがけて犬がまっしぐらに走っていって、たちまちその中を転がり始めるというのである。そこを離れるとき犬はたいていとても臭くて、風呂に入れるか、少なくともホースで水をかけなければ、家の中に入れることができなかった。

犬が、強烈な悪臭で我が身を覆いたがるのがなぜなのかについては、いくつもの仮説が提唱されている。そのうち最も馬鹿げているのは、それは寄生生物をやっつける方法なのだという説だ。シラミやノミなどの虫は、ひどい悪臭のあるものには近づかない、というのである。残念ながら、ほとんどの虫は犬の悪臭には少しもひるむ様子がないし、むしろ虫の多くはそういう匂いに惹かれる——なぜならそれは普通、腐敗している有機物の存在を意味しており、それは虫にとっては素晴らしい栄養源だからだ。

二つ目の仮説は、臭いものの中で転げ回るのは群れの他の犬にメッセージを伝える手段だというもの

だ。犬やオオカミは、悪臭を放つものの中を転げ回るのを好むように見えるが、よく観察すると、彼らが体に塗りつけるのに選ぶのは必ず、糞便、腐った肉、その他有機物ばかりである。野生動物だった犬の祖先は、狩猟動物であると同時に腐食動物でもあり、犬が転げ回るものの多くは、まだ食べられる可能性がある。つまり、野生のイヌ科動物がこうしたものに体をこすりつけて群れに戻ると、他の犬たちがたちまちこの匂いを嗅ぎ取り、食べられそうなものが近くにあることを知る、というわけだ。だがそうだとすると、野生のイヌ科動物が新しい匂いをつけて群れに戻ってきたら、群れのメンバーはすぐに匂いをたどってその犬がいた場所まで戻るはずだが、普通そんなことは起きないのである。

三つ目の仮説は、犬はその悪臭のする塊の中で転げ回って自分に匂いをつけようとしているわけではなく、じつはその匂いを自分の体臭で覆い隠そうとしている、というものだ。たしかに犬やオオカミが、棒や新しい犬用ベッドなどの上で、あたかも自分の匂いをなすりつけようとするかのように転がるのは本当だ。猫が人間に体をこすりつけて自分の匂いで印をつけるのと同様に、犬が人間に体をこすりつけるのも、多くの場合、自分の匂いを相手に残し、相手が自分の群れのメンバーだという印をつけるためであると示唆した心理学者もいる。

進化論的、適応論的に言って最も納得できる説明は、この悪臭をともなう行動は、犬が自分の身を隠そうとしているのではないか、というものだ。それによれば、私たちが目にするこの行動は、今私たちが飼っている犬がまだ野生動物で、生きるために狩りをしなければならなかった時代の名残だという。たとえばアンテロープが、近くに野生の犬、ジャッカル、オオカミなどの匂いを嗅げば、おそらく安全なところへ逃げていってしまう。だから野生のイヌ科動物は、アンテロープの糞便や死肉の中で転げ回ることを覚えたのだ。アンテロープは自分の糞の匂いをよく知っているし、たくさんの動物が暮らす広々とした草原には死肉はいくらでもある。だから、アンテロープをはじめとする被食動物は、毛に包まれた同じ動物でも、オオカミの匂いがするものより、そういう匂いのするものの方を、怖がったり怪しんだりしにくい。つまり相手を惑わす匂いで偽装すれば、野生の狩猟性イヌ科動物は、獲物にもっとずっと近づくことができるのだ。

おそらく最も疑わしい仮説は、まず、人間にとって最も支配的な感覚は視覚だが、犬の場合はそれが嗅覚であることに着目する。人間と同様に、犬にとってもまた感覚的な刺激は楽しいもので、そうした刺激を過剰なまでに求める傾向があるのかもしれない、というのだ。つまり、犬が悪臭を放つ有機物の中で転がる本当の理由は、単に美的センスの表現であって、人間が過度に派手な色合いのアロハシャツを着るのと変わらないのではないか、と言えないこともないのである。

なぜ犬は鼻に触るのか？

犬のとる行動の中には始終目にするものがある。だが、私たちはそれらについてめったに考えないし、たまに考えてみると、どうして犬がそういう行動をとるのか、まったくわからなかったり、間違った理解をしていることが多い。簡単な例をあげれば、犬が他の犬に出会ったとき、彼らはよく、まず鼻と鼻を触れあわせて社交上の挨拶を交わす、ということだ。私たちのように、動物間の意思伝達について勉強した者には、この鼻と鼻の接触は挨拶儀礼の一部であるように見える。じつはこれは犬よりも猫の方がよくする行動で、鼻に触れたあと、相手の体に自分の体をこすりつけたり、相手の頭や体の匂いを嗅ぎ続けたりすることもある。猫は、脅威を感じない相手なら、出会った猫のほぼ全部に対してこの鼻タッチで挨拶をする。

犬の場合、鼻と鼻を触れあわせる相手については猫よりもえり好みするようで、挨拶のすべてに鼻の接触が含まれるわけではない。ただし、成犬が子犬と鼻を触れあわせるのは非常によくあることだ。また、脅威を感じない他の動物とも、よく鼻タッチを使って挨拶する。だから犬が、猫や子猫、ウマなどと鼻を触れあわせるのを見ることがある。幼い人間の子どもが床をハイハイしていて、近づいてきた犬に鼻でタッチされることも多い。

正式ではないが、私が行なった簡単な調査は、鼻を触れあわせるのが子犬が社会化する過程で大切なことの一つであると示唆している。成犬になると咬みつきやすくなる場合があることがわかっているさまざまな犬種（たとえばコーギー）は、子犬のうちに、その家の家族や、協力してもらえる友人・知人の鼻に触れさせることをお勧めする。そうすることで社会化が早まり、後になって人に咬みつく可能性が低くなるのである。またどんな犬種でも、子犬のうちに人間と鼻タッチをさせておくと、成犬になったとき、人が近づいてきたりまっすぐ犬の目を直視しても、脅威に感じることが少なくなるようだ。

犬の研究者のほとんどは、犬が鼻と鼻を触れあわせることに挨拶儀礼的な側面があることを認めているが、最近『Animal Behavior（動物の行動）』誌に掲載された実験結果は、それとは別の、もっと実用的な理由がある可能性を示している。チューリッヒ大学動物研究所のマリアンヌ・ヘーベルラインとデニス・ターナーは、一頭の犬が見守る中でもう一頭が部屋を自由に動き回れる状況を用意した。仮に、見守っている方の犬を「観客」、動き回っている方の犬を「俳優」と呼ぶことにしよう。実験は次のようにして行なわれた。まず、俳優は部屋のどこかにおやつが隠されていることを知っていなくてはならない。そこで、部屋の中の四つのポジションのうちの一つに、おやつを二個ばかり置くところを俳優に見せる。次に、それぞれのポジションの前に衝立を置くが、このときも俳優はそれを見ている。この段階で、観客役の犬が部屋に連れてこられる。観客が見ている前で、俳優はリードを解かれる。想像がつくだろうが、俳優は、おやつが隠されるところを見たポジションの衝立の後ろに走っていく。

ここまでは明快だ。観客役の犬は、おやつが見えないので、俳優役の犬がなぜ衝立の後ろに走っていくのかわからない。ただし、実験者はときどき、衝立を立てるときにこっそりとおやつをどかしてしまう。だから俳優役の犬は、おやつを見つけて食べられることもあるし、衝立の後ろに走っていってもおやつはない、という場合もある。

そしてとうとう二頭の犬に交流が許される。予想通り、たいていの場合彼らは挨拶儀礼の一環として鼻と鼻を触れあわせる。驚いたことに、二頭が鼻と鼻を触れあわせ、それが、俳優が首尾よくおやつを見つけて食べてきたばかりであった場合、俳優が行った衝立の後ろに観客が急いで走っていって、おやつを探す可能性がずっと高いのである。俳優がおやつを見つけられず、食べていなかった場合は、観客がその場所におやつを探しに行く確率は低い。

研究者らはそこでこう結論している——犬同士が鼻を触れあわせるのは、挨拶の方法であるだけではなくて、「この辺でおやつや他の食べ物を見なかった?」という質問の答えを見つけるためなのだ。その答えは相手の犬の吐く息にあり、その食べ物のありかは、さっき目撃した、俳優が行った場所かもしれない、というわけである。

こうした実験結果は、犬を知っている人なら誰でも勘づいていることを裏づけている。犬は生まれつき社交的かつ友好的だが、食べ物が絡んでいるとその傾向がいっそう強まるのである。

犬は、人間のボディ・ランゲージとコミュニケーションの信号をどれくらい理解できるのか？

犬を飼っている人のほとんどは、リードを下げてある場所を自分がちらりと見ただけで、散歩に行けるのを期待して犬がドアに向かって行った、という経験がある。これは飼い主にとっては日常的な出来事かもしれないが、科学者にとっては特別な重要性がある――犬がどのように思考するかを示唆するからだ。まず第一にこれは、犬には人間のボディ・ランゲージや意図を読む能力があることを示す。さらに、人間の動きや動作が、自分の世界で次に何が起きるかについての重要なヒントを含んでいる可能性があることを犬が理解している、ということも示している。

過去何十年間にもわたって、科学者たちは犬の「社会的認知」の研究をしてきた。これはつまり、犬が、他者の行動からどれくらい合図を読み取れるか、ということだ。人間である私たちは、無意識にこれをしている。たとえば、話をしている相手が腕時計を気にし始めたら、急いで要点を言った方がいいということがわかる。社会性哺乳類はみな、自分の集団に属するメンバーから自分に送られてくる合図について、並外れて識別力の高い解読方法を発達させているが、これは通常は同じ種のメンバーの場合

だ。ところが近年の研究は、犬が、人間の発するある種の社会的な合図を読むのが驚くほどうまいということを示しているのだ。

動物のこうした認知力をテストする実験の仕掛けはじつにシンプルだ。まずは、バケツ状の容器を二つ伏せて置き、テストする犬が見ていないところで、片方の容器の下にほんの少し食べ物を置く。もちろん二つの容器にはその食べ物をこすりつけ、どちらも同じ匂いがするようにしておかなくてはいけない。それから、どちらの容器の下に食べ物があるかを合図で示す。一番わかりやすい合図は、食べ物が置いてある方の容器を指で叩くことだ。その容器を指差すのはそれより少しわかりにくい。指差さず、頭や体をその容器の方向に傾ける、というのはさらにわかりにくいし、最も控えめな合図は、頭も体も動かさず、ただ正しい容器を見るだけ、というものだ。正しい容器を選べば、犬はその食べ物をもらえる。簡単に聞こえるかもしれないが、ほとんどの動物にとってこれは簡単なことではない。

南西ルイジアナ大学の心理学教授、ダニエル・J・ポヴィネッリの研究によれば、驚いたことに、人間に一番近い動物であるチンパンジーは、初めのうちはこのテストのできが非常に悪い。(じつは人間の三歳児も、チンパンジーよりはましだができは良くない。)だが、チンパンジーも人間の子どもも、正しい合図の読み方を覚えるのは早い。だが本当にびっくりしたのは、ハーバード大学のロバート・ヘアが率いる研究チームがこれと同じ実験を犬で行なったときのことだ。犬は初めから、実験者が知らない人間である場合でも、チンパンジーの四倍、人間の子どもの二倍以上の頻度で、食べ物の場所を示す合図を正しく解読したのである。

問題は、犬のこの能力はどこからきたのか、ということだ。まず推測できるのは、犬は群れで狩りをするオオカミの子孫であるため、狩りをする群れをまとめるために社会的な信号を察知する能力が発達したのではないか、ということだろう。そうだとすればオオカミも、餌当てテストの成績は犬に劣らないはずだ。ところがテストしてみると、オオカミが合図を読み解く力は、チンパンジーより低く、犬よりはるかに劣るのである。

次に想像できるのは、犬が人間のボディ・ランゲージを読めるようになるのは、人間のそばで過ごし、飼い主の家族を観察するからだ、ということだ。この説が正しければ、子犬、特に、同時に生まれた他の子犬たちとまだ一緒に住んでいて、人間の家庭にもらわれていない子犬は、人間からの合図を読むのが下手だということになる。ところがそうではないのである。まだ母犬や同腹の子犬たちと一緒にいる生後九週間の子犬でさえ、オオカミやチンパンジーよりテストの成績が良いのだ。つまりこの能力は、犬とオオカミに共通する最後の祖先から受け継いだものでもなければ、その能力を発達させるために人間との多大な接触が必要なわけでもないのである。

では、人間の合図を読む犬の能力はいったいどこからきたのだろうか？　科学者は現在、その能力が、人間に飼いならされていく間に犬に起きた進化的な変化である可能性を検討し始めている。人間が支配する環境にあっては、主人の意思や欲求を理解できる犬の方が繁栄し、より多くの子孫を残せる可能性が高かったことは明らかだ。だが、そもそもは、人間を理解する能力が高いのを理由に、ある犬種が選ばれて飼いならされたのだろうか、それともこの能力が高まったのは、犬が飼いならされていく過程で意図せずに生まれた副産物なのだろうか？　残念ながら、科学的な結論はまだ出ていない。人間の社会的信号を理解することに長けた犬を人間が故意に選んだのか、それともこの能力は、犬が飼いならされていく進化の過程でついてきた「オマケ」的性質なのか、結論を出すに足るデータがないのである。いずれにせよ、犬のこの能力はまた一つ、私たちが飼っている犬が、住処と食事をタダで手に入れるためにうわべだけの洗練を身につけた、単なる都会暮らしのオオカミではない、ということを証明している。むしろそれは、犬が、人間とともに進化した——より正確に言えば共進化した——オオカミとは別の種で、他のどんな動物種よりもよく人間の感情や意図を理解するかもしれない、という考え方を裏づけるのである。

PART 4

犬はどのように学ぶのか？

犬はどのくらい賢いか？
他の動物と比較して、

他の動物、いや、哺乳動物とその知性を比べると、犬はいったいどれくらい賢いのだろう？　その問いに答えるために役立つことが証明されているテスト法や一連の課題もあるにはあるが、種の異なる動物の知性を比較するのは難しい。たとえば水中に棲むイルカと陸に棲むウマに同様の意味を持つテストを設計するのは、複雑で、ほとんど不可能かもしれない。チャールズ・ダーウィンは、「知能とは、ある種が、生存に必要な作業をどれだけ効率的に行なえるようになったか、ということにもとづいている」と主張したが、その定義では、健康で数が多く、絶滅を防げる種はすべて同様の知能を持つことになってしまう、と異を唱える人もいるかもしれない。

こうした問題に促されて、心理学者と生物学者らは、知能を評価するのに特定のテストを必要としない、それどころか評価の対象となる動物の協力も必要としない方法を探し始めた。それはまず、脳が大きいほど神経細胞や神経連絡の数も多いので、記憶貯蔵量も大きく、より高速な処理が可能なため、知能が高いに違いない、という前提から始まる。たとえば、一五〇〇立方センチメートルの脳を持つ人は、一四〇〇立方センチメートルの脳の人と比べ、皮質ニューロンの数が平均して六億個多い。そこでまず、

大きな脳を持つ動物の方が賢い、という推論が成り立つ。

まずわかっているのは、人間の脳（平均一四〇〇グラム）は犬の脳（体重九キロのビーグルで平均七二グラム）より大きく、アカゲザルはその中間（平均九七グラム）ということで、これは、この三種の相対的な知能について私たちが持っている一般的な印象を考えると納得がいく。だが、脳の重量だけを考えたのでは、六〇〇〇グラムの脳を持つゾウは人間より賢いことになるし、地球上の一番の天才はクジラだということになる――たとえばマッコウクジラの脳は平均七八〇〇グラムあるのだ。問題は、体の大きい動物は脳も大きいということだ。彼らの巨大な筋肉の動きを制御するにはそれだけの脳が必要なのである。彼らはまた、その膨大な感覚情報を処理するためにも大きな脳を必要とする――たとえば、皮膚の表面積が少しでも増えれば、そこから入ってくる、接触、熱さ、冷たさ、痛みといった感覚を処理するため、より多くの皮質ニューロンが必要となるのだ。

一九七〇年代後半に、心理学者ハリー・J・ジェリソンが、知能を測る別の指標を考案し、「脳化指数」（EQ）と名づけた。脳化指数とは、その動物の体重から予想される脳の大きさに比べて実際の脳がどのくらい大きいかを算出する、数学的に洗練された比較法である。この方法だと、体が大きい動物ほど大きな脳を持つ傾向があるという事実が補正され、問題は、その動物の脳が、体重に見合う脳のサイズよりも大きいか小さいか、ということに移行する。

脳化指数によれば、地球上で最も賢い動物は人間であり、ネズミイルカ科、類人猿、ゾウがそれに続く。犬の脳化指数はゾウよりわずかに劣る。さらに下へ行くと、猫、それからウマ、ヒツジ、マウス、ラット、そしてウサギと続く。原則的には、生きるために狩りをする動物（たとえばイヌ科動物）は完全な草食動物よりも賢い（レタスの葉を出し抜くのには大した知能はいらない）。また、社会的集団を作って暮らす動物は独居性の動物よりも賢い——なぜなら、「自分がこうするとあいつはこうする、だから自分は別のことができる」というような論理的思考をしなければならないからだ。したがって、社会的集団で暮らすチンパンジーは、独りで暮らすオランウータンより賢いことになる。また、犬は猫よりもずっと社会的な動物であることが、おそらく犬が猫よりも賢いという結果になっている理由だろう。

動物種	EQ
ヒト	7.44
イルカ	5.31
チンパンジー	2.49
アカゲザル	2.09
ゾウ	1.87
イヌ	**1.76**
ネコ	1.00
ウマ	0.86
ヒツジ	0.81
マウス	0.50
ラット	0.40
ウサギ	0.40

犬種によって知能に優劣はあるか？

　誰でも自分の子どもは賢くあってほしいのと同じように、誰もが賢い犬を飼いたがる。だが、犬が「賢い」か「馬鹿」かは、その行動のどういう側面について考えるのかによって違ってくる。たとえば、ノーベル賞を受賞したアルベルト・アインシュタインは賢かっただろうか？　もちろん、相対性理論を導き出すには数学の天才でなくてはならない。だがアインシュタインは単純な計算は大の不得手で、彼の小切手帳はいつも残高が合っていなかった。

　知能にはさまざまな側面がある。人間の場合、知能をさらに細分化して、言語能力、計算能力、論理的思考、記憶力などなどに分けられるだろう。犬の知能にもいくつかの側面があるが、大きなものが三つある――本能的な知能、適応知能、そして使役服従知能である。

「本能的な知能」とは、その犬種がなんのために飼育されるか、ということだ。たとえば牧畜犬は、動物の群れをコントロールするために飼育される。家畜を集合させたり、一か所にまとめておいたり、特定の方向に移動させたりする能力は生まれつきのもので、人間はただそれを制御し、方向づけするだけでいい。犬種によって、本能的な知能は明らかに種類が異なっている。番犬はものを見張るし、レトリーバーは獲物を取りに行くし、ハウンドは足跡をたどって追跡するし、ポインターは鳥を嗅ぎつけ、そ

の居場所を指して教えるし、愛玩犬は人間が発する社会的信号に敏感で、私たちの気持ちに反応し、慰めてくれる。どんな犬も本能的な知能を持っているが、違う犬種を比較してどちらがその意味で「より賢い」かを決めようとするのは無意味である――彼らの能力は、比較するには違いが大きすぎるのだ。

「適応知能」というのは、犬が自分でどれだけ多くのことを学べるかということである。自分の環境での経験から学び、それを役立てること、新たな問題を解決することなどが含まれる。適応知能の程度は同じ犬種でも個体によって異なる。たとえば、ゴールデン・レトリーバーはみな同じ本能的知能を持ち、ほとんどが非常に賢い犬ではあるが、たまに、頭が悪く、何度でも同じ過ちを繰り返す犬がいる。個体間の違いは適応知能の違いによるもので、これは適切なテストをすれば測ることができる。

ほとんどの人は、犬の知能について考えるとき、ドッグショーの、オビディエンス・リング〔訳注：服従訓練競技の会場となるリングのこと〕で、またはステージの上で、複雑な課題をこなす犬のことを思い浮かべるかもしれない。あるいは、警察犬、盲導犬、聴導犬、災害救助犬などの、高度に訓練された犬が頭に浮かぶかもしれない。主人の命令や合図に適切に反応する犬を見ると、私たちは犬の知能の最高峰を見ているような印象を受ける。だから、人間からの特定の指令を理解しているということをその反応によって犬が示してみせるとき、その犬は、犬の知能の最も重要な側面を見せていることになる。これが重要なのは、もしも犬が人間の指示に従わなければ、もともと人間が犬の価値を認める理由となった実用的な役割を果たすことができず、したがって犬が人間に飼いならされることもなく、犬と人間がともに暮らすことにもならなかっただろうからだ。この、犬が持つ三つ目の種類の知能は、いみじくも「使役服従知能」と呼ばれている。これは学習能力に一番近いもので、人間の命令に従って何ができるようになるか、ということにもとづいている。

使役服従知能の観点から犬種に順位をつけることは可能なはずだ。だが、ケネルクラブから入手できる、服従訓練競技会結果記録の統計資料を使ってもうまくいかない——なぜなら、この結果には犬種の人気が影響するからである。たとえば近年のことだが、アメリカンケネルクラブの競技記録によれば、トレーニングチャンピオンポイントを獲得したオッターハウンドはゼロだったのに対し、ゴールデン・レトリーバーは一二八四頭だった。だがこの結果は、オッターハウンドは頭が悪いという意味ではない。アメリカンケネルクラブに登録されたゴールデン・レトリーバーが約六七万頭いたのに対し、同じ年に登録されていたオッターハウンドはわずか三〇〇頭だったのである。仮にオッターハウンドがすべての犬種の中で最も賢かったとしても、さらに、登録されたオッターハウンドがすべてその年度にトレーニングチャンピオンポイントを獲得したとしても、トレーニングチャンピオンポイントは三〇〇にすぎず、ゴールデン・レトリーバーの一二八四には及ばないのである。

ケネルクラブの記録は犬の知能を評価する役には立たないが、ケネルクラブはそれとは違う方法で評価を助けてくれる。つまり、服従訓練競技の審査員である。彼らは、制御された条件下で犬がどれほど課題を遂行できるかを観察し、評価する訓練を受けている。一度の週末で、一二時間から二〇時間にもわたって、さまざまな犬種の犬を評価し点数をつけることも珍しくない。さらに、審査員のほとんどは自身が犬の調教師であり、もっと多くの時間を、犬を観察し、調教することに費やすのだ。犬の観察と評価にこれだけ豊富な経験があるわけだから、犬種によって異なる相対的な能力について知識を蓄えている人間の集団が一つあるとすれば、服従訓練競技の審査員こそそれだ。彼らは、一頭一頭の犬が同じ条件下で課題をこなすのを見るわけで、そのパフォーマンスの質と競技犬の数をごっちゃにはしないはずだ。

拙書『The Intelligence of Dogs』（第二版、Atria Books 刊、二〇〇六年）〔訳注：日本では第一版が『デキのいい犬、わるい犬――あなたの犬の偏差値は？』として文春文庫より二〇〇〇年に出版〕を書いたとき、私はアメリカンケネルクラブとカナディアンケネルクラブに登録された服従訓練競技審査員の全員に連絡をとり、使役服従の能力について、さまざまな犬種に順位をつけてもらう長文のアンケートを送った。長いアンケートであったにもかかわらず、一九九人の審査員（北米で登録されている審査員総数の約半数）が全問に回答してくれた。

審査員たちの回答の一致度は驚くほど高く、観測可能な違いが、信頼できる精度で観察されていることを示していた。たとえば、使役服従知能で最も高く評価された犬を見ると、一九九人中一九〇人の審査員がボーダー・コリーを上位一〇位以内に入れていた。使役服従知能が最も低い犬種については一致度は若干低かったが、それでも、私が回答を得た専門家たちの意見はかなり一致していた。一九九人の審査員のうち一二一人が、アフガン・ハウンドを最下位一〇位以内にあげたのである。

審査員たちの評価によれば、使役服従知能のトップ一〇は次の通りだ。

- ボーダー・コリー
- プードル
- ジャーマン・シェパード・ドッグ
- ゴールデン・レトリーバー

●ドーベルマン
●シェットランド・シープドッグ
●ラブラドール・レトリーバー
●パピヨン
●ロットワイラー
●オーストラリアン・キャトル・ドッグ

一方、最下位の犬種は次の通りである（左へ行くほど順位が低い）。

●バセット・ハウンド
●マスティフ
●ビーグル
●ペキニーズ
●ブラッドハウンド
●ボルゾイ
●チャウ・チャウ
●ブルドッグ
●バセンジー
●アフガン・ハウンド

だからと言って、みんなが慌ててトップ一〇の犬種を手に入れるべきだろうか？　もちろんそうではない。頭のいい犬は、あなたが覚えさせたいことをすべて覚えはするが、同時に覚えてほしくないことも覚えてしまう。結局あなたは、頭のいいあなたの飼い犬に「礼儀」を教え、あなたの家の中で許される行動はどこまでかを覚えさせるのにより多くの時間を割かなくてはならないかもしれない。

あるいは、「種の向上」のために、順位の低い犬を繁殖させるのをやめるべきか？　もちろんそんなことはない。どんな犬にも、そのために飼われてきた本能的知能がある。使役服従知能の順位では最下位のアフガン・ハウンドは、アンテロープやガゼルを見つけ、追いかけ、仕留めるために飼育されてきたのだ。アフガン・ハウンドが走るのを見たことがある人なら、その能力がどれほど洗練されたものであるかおわかりだろう。また、私たちの都会的な社会で暮らす犬のほとんどは、人生の伴侶として選ばれている。あなたは、夫や妻、恋人、あるいは友人になれそうだと感じた人に、知能テストをしたりしただろうか？

最後に、知能面ではリストの下位にいる犬の中には、それとは別の素晴らしい性質を持っているものがいる。アフガン・ハウンドは、最も美しい犬種の一つと言ってよい。『ピープル』誌は毎年特別号で「世界で最も美しい五〇人」を特集するが、「世界で最も知能が高い五〇人」を特集したという記憶はない。私たちが、人間にとって一番重要な特徴と見なしているものを考えてみるといい――そう、それと同じことが犬にもあてはまるのだ。

報酬訓練と罰訓練はどちらが効果的か？

あなたの飼い犬の（あるいは誰か他の人間の）行動のしかたを変えたい、と思ったら、根本的に決めなければいけないことが一つある——訓練の方法を、報酬によるものにするか、罰によるものにするか、それともその二つの組み合わせにするか、ということだ。いわゆる懲罰型トレーニングプログラムは、懲罰を主要なツールとして使い、訓練の対象が期待通りに行動しなかった場合、特権を剝奪したり、苦痛を与えたり、その他、ネガティブな結果を与える。たとえば政府がそうだ——彼らの望み通りにあなたが行動しなければ、罰金を科したり投獄したりする。犬に対する懲罰は、リードをぐいっと引っ張ったり、電気ショック首輪で電気ショックを与えたり、叱る、叩く、などだ。もう一つの選択肢は報酬型のトレーニングで、犬が望ましい行動をとるたびに、おやつや褒め言葉をもらうなどの良い結果につながり、正しくない行動は単に報酬をもらえない、というやり方だ。

当然ながら、私たちは最も効果の高い訓練方法を使いたいわけで、問題は、報酬型のトレーニング（いわゆるポジティブ・トレーニング）と懲罰型のトレーニングのうち、どちらがより効果的で良い結果を生むか、ということだ。この質問には答えがいくつかあるが、その中で最も重要なものの一つだけを見ていこう。

私たちが「学習した」と言うのは、実際は、ある個体がこの世界で何かを経験した結果、その言動になにかしらの、比較的恒久的な変化が生じた、という意味だ。二〇〇年以上昔、哲学者ジョン・ロックは、学習とは関連性を作ること、つまり特定の順序で起きる出来事を頭の中で関連づけることである、と説明した。ほとんどの人はこれを、ある行動とその結果の関係を学ぶこと、と理解する――たとえば、壁のスイッチをオンにすると部屋の電灯が点くし、指を電気のコンセントにつっこむと痛みをともなうショックがある、というように。

ところが、それとは別に、「古典的条件づけ」と呼ばれる学習の形態があるのだが、普通の人はそれを知らないか、めったに考えることがない。だがこれは非常に重要かつ基本的な学習の形で、実世界で起きている出来事と、ある動物個体がそれに対して持つ情動反応の間に関連性が生まれるのは、このおかげなのである。「条件づけ」というのは学習を心理学の専門用語で言っただけで、「古典的」と呼ばれるのは、それが科学的に研究された最初の学習形態だったからである。

古典的条件づけを最初に体系的に研究したのは、ロシアの生理学者、イワン・ペトローヴィチ・パブロフだった。彼がこの研究を始めたのは、あることにたまたま気づいたのがきっかけだった。犬の唾液分泌について研究していた彼は、食べ物を犬の口に入れると犬は必ず唾液を分泌することを知っていた。また、何度か同じ犬で実験しているうちに、犬は、餌の容器や、いつも餌を運んでくる人など、食べ物に関係があるものを見ただけで唾液を分泌し始めるということにも気づいた。パブロフには、この犬の反応が珍しい形の学習であることがわかった――なぜならそこには、自発的に制御できない反応がともなっていたからである。たとえば私があなたに向かって、「よだれを垂らしなさい」と言っても、単にそう意図するだけで途切れなく唾液が流れるようにするのは事実上不可能であることがわかるだろう。パブロフは、自分が目にした犬の反応の中で、ある特別なことが起きていることに気づいた——普通は特定の種類の出来事（食べ物）によってしか起こらない不随意運動（唾液分泌）が、それとは別の刺激（実験者を見る）によってコントロールされていたのである。

パブロフがこの過程を研究するのに用いたのは単純な方法だった。訓練中、犬の口に粉末状の肉を吹き入れて唾液を分泌させる直前に、ベルの音などの中性刺激（通常は犬の唾液分泌の原因とならない刺激）を与えたのである。ベルの音——肉の粉——よだれ、という一連の流れを数回繰り返したあと、今度はベルの音だけを聞かせるテストを行なった。すると案の定、犬は、もともとはなんの反応も示さなかったベルの音に反応して唾液を分泌したのである。中性刺激が何であっても違いはなかった。カチッという音、光、絵、軽く触れたり、その他何でもいい。重要なのは、犬が、以前は中性刺激だったものに、今ではそれが粉末状の肉であるかのように反応して唾液を分泌する、ということだった。犬はそれを望む必要もないし、学習の過程に積極的に参加する必要もない——それは自然に起きるのだ。

もともと犬が垂らすよだれの量に辟易している人が多いのに、なぜ合図とともによだれを垂らす訓練をする必要があるのか？　じつのところ、よだれはどうでもいいのだ。古典的条件づけの本当に重要な点は、私たちはこうやって、物に対して情動反応を持つことを学ぶ、ということだ。ある刺激に遭遇し、続いてある感情を引き起こす出来事が起こるだけでよいのである。刺激——出来事——感情という流れがほんの数回繰り返されると、古典的条件づけによって、刺激そのものが感情を引き起こすようになる。

古典的条件づけがいかに条件性情動反応を生むか、という例で最も有名なのが、ジョン・ワトソンが行なった実験だが、これは今日なら、どんな研究所だろうが倫理審査委員会の審査を通ることはなかっただろう。ワトソンは、アルバートという名の生後一一か月の赤ん坊に白いラットを見せた。アルバートはラットを少しも怖がらなかった。次にワトソンは、アルバートにラットを見せながら、同時に、人に頼んで金属の棒を二本打ち合わせて大きなカーンカーンという音を立ててもらった。アルバートはその音にびっくりし、怖がって泣き始めた。ラットを見せる――大きな音を立てる――怖がって泣く、というこの一連の流れを数回繰り返すと、アルバートはラットを見ただけで泣き出し、ハイハイをして逃げるようになった。ラットを怖がるだけでなく、今やアルバートは、白いウサギ、ぬいぐるみ、毛皮のコート、サンタクロースのひげに至るまで、毛皮状のものはすべて怖いようだった。ワトソンは、怖れという感情を、古典的条件づけによって、アルバートの頭の中で白くてフワフワした物体と結びつけたのである。注目していただきたいのは、アルバートはこの学習を望んだわけでも、この怖れを身につけるのに積極的に参加したわけでもないということだ。ただ単にその刺激が、彼が情動反応を起こす事象と関連づけられたがために、自動的に起きたのである。

感情が古典的に条件づけられるということは、報酬型の訓練法の方が、懲罰型の訓練法よりも効果があり、犬とトレーナーの間により強い絆を確立するということを示す一つの証拠だ。おやつやその他のご褒美をあげるたびに、あなたは、犬があなたを見る――おやつ――嬉しい気持ち、という一連の事象の流れを構築することになる。タイミングが悪かったり、あなたがトレーナーとしては未熟で知識が乏しくても、報酬型訓練を試みて害になることはない。おやつをもらうたびに、犬があなたに対して良い感情を持つ可能性が高くなる――なぜならあなたは、あなたを見るとその後に嬉しくなる、という情動反応の条件づけをしているからである。

これと反対なのが、懲罰や、手厳しい矯正を使った訓練だ。あなたやあなたの手、あるいは訓練用のリードや首輪を目にし、直後に痛みや不快感が起きると、最終的にはネガティブな感情や忌避という行動に結びつくことになってしまう。

この様子は、さまざまな犬の訓練機関やしつけ学校を訪れるとしばしば目にする。懲罰やお仕置きを使う傾向のあるところでは、トレーナーや訓練用の器具を見た犬が、まるでその状況から完全に逃げようとするかのように犬舎の奥に走っていくことが多い。彼らは、トレーナーのそばにいるのが不快なようだ。そういう関係が、犬の訓練にネガティブな影響を与えることは間違いない。それとは対照的に、報酬を使って訓練するドッグトレーナーには、犬たちは嬉しそうに尻尾をふりながら駆け寄ってくる。犬たちは明らかに、このトレーナーとポジティブな感情的絆を構築し、訓練を続けたくてたまらず、それが嬉しいのである。

クリッカートレーニングとは何か?

近年、熱い注目を集めているのが「クリッカートレーニング」と呼ばれるもので、これは一部の人によって、より効率的な犬のトレーニング法と見なされている。だがクリッカートレーニングについて説明する前に理解すべき大切な点は、犬の訓練の背後にある基本原理は非常にシンプルではあるが、それをうまく実施することは難しいということだ。喩えるなら、ピアノの演奏を思えばいい。基本原理は単純だ――聞きたい音程に対応する鍵盤を叩く、それだけのことである。だがそれがちゃんとできるようになるには、何年もの訓練が必要かもしれないのだ。

犬に新しく何かを覚えさせる際の基本原理は次のようなものだ――**何であれ、褒美を与えられる行動は強化され、犬がその行動をとる可能性が高まる一方、褒美を与えられない行動は弱められ、犬がその行動をとる可能性が低くなる。**それだけだ。犬を訓練するのに、神経学的あるいは化学的に何が起こっているのかを根本的に理解したり、脳の中枢や経路のうちのどこがそれに関与しているかを知っている必要はないのである。ただしおうおうにして厄介なのは、褒美をやるためにはまず犬に正しい行動をとらせなければならないという点だ。また、適切な行動が強化されるためには、その褒美を正しいタイミングで与えることも必要だ。この過程はかなりの時間と労力を必要とする。

仮に私が私の犬に、呼んだら来ることを教えようとしているとしよう。私は、「来い」という命令を出したあと、私の方に向かってくる犬に褒美をやらなければならない。だが、もしも私が飛び出していって、褒美として少々のドッグフードを与えれば、犬は餌を口に入れるために、私に向かって動くのをやめる。つまり、褒美を与えることがじつは、私が犬にさせたかった行動の邪魔をする、あるいはそれを止めてしまったということがおわかりだろうか。私が求めていたのは、私に向かってきている間に犬が褒美をもらい、それによって私に近づくという行動が強化される、という一連の流れだったのだが、実際には私は、私の方に向かって移動するのをやめたことに対して犬に褒美をやってしまったのだ。犬の訓練の基本原則によれば、褒美をもらった直前の行動が強化されるので、これと同じことを何度も繰り返せば、じつは私は犬に、数歩私の方に近づいてから立ち止まる、という行動を教えることになってしまう。だとすれば私たちに必要なのは、犬の行動をストップさせずにやれる褒美である——犬にさせたい行動が起こっているまさにその間に、離れたところから正確に与えられる褒美だ。

クリッカートレーニングというのは、まさにそういう特殊な褒美を作る方法だ。前項で紹介した、感情の古典的条件づけを利用するのである。つまり、犬が良い気分になるが、そのときしている行動の邪魔をしない合図を選ぶわけだ。

この新しい形の褒美を作り出すためにはまず、どういう合図を使いたいかを決める。最近は、手に持って鳴らすクリッカーの音が人気だが、合図はどんなものでもかまわない——口笛でも、光でも、言葉でも、あるいは何か特定の動作でもいい。私自身は、両手が自由になって他のことができるので、声を使うのが好きだ。そして、「そうだ!」という言葉を熱い口調で言うのである。知り合いには「カチッ」という言葉を合図に使うドッグトレーナーもいる。

合図を選んだら、古典的条件づけを使って、そこにポジティブな感情を「充電」しなくてはならない。それには食べ物を褒美として使うのが一番簡単だ。クリッカーのカチッという機械音を合図に選んだとしよう。この音が褒美を意味するようにするには、カチッという音に続いて褒美のおやつを与える、というのを何度か繰り返すだけでいい。カチッ、おやつ、カチッ、おやつ、カチッ、おやつ、というのを十分に繰り返すと、クリッカーの音が、実際にもらえる褒美のおやつの長所を引き継ぐようになる。これで、学習された「二次報酬」ができたわけだ。

人間の行動をコントロールするために使われる報酬のほとんどは二次報酬であることに気づけば、この概念を理解しやすくなるかもしれない。一次報酬というのは、食べ物、飲み物、セックスなど、生物学的なものだ。二次報酬には、金銭、学校の成績、称賛、出世、メダル、賞、肩書きなどが含まれる。それらの報酬性はみな、一次報酬との関連性の中で学習されたものだ——そのつながりの中には遠い過去に端を発するものもあるが。たとえば、他者から褒められることの報酬性は、母親が食べ物をあなたの口に入れながら「いい子ね」とか「なんて可愛いんでしょう」などと言ったのがそもそもの始まりだったかもしれない。

クリッカーの音のような、ポジティブな情緒的性質を持つ合図を作ることの重要性は、それを使えば犬の行動を邪魔することなく犬に報酬を与えることができ、あとで都合の良いときにはクリッカー音に続けて実際に食べ物の報酬を与えることで、その音に感情的な意味を「充電」できる、ということなのだ。

すでに明らかだと思うが、クリッカートレーニングそのものは犬にものを教える方法ではなく、**自発行動キャッチング**、**ルアートレーニング**、**身体的補助（フィジカル・プロンプト）**、**シェーピング（行動形成）**という、ドッグトレーニングにおける四つの基本的方法で犬を訓練する際に役立つ、特殊な報酬を作り出すためのテクニックである。次に、これらの四つの方法について、一つひとつ、もう少し詳しく見ていこう。

自発行動キャッチングとは何か？

おそらく最もシンプルな犬の訓練形態は「自発行動キャッチング」だろう。犬が自分で自分を無意識に訓練しているようにも見えるので、「無意識トレーニング」と呼ばれることもある。理論的には、これはものすごくシンプルなテクニックである。あなたが犬に教えたい行動を犬が自発的にとるまで待ち、それに名前をつけて褒美を与えるだけだ。

例として、あなたがローバーという名前の子犬をしつけたいと仮定しよう。あなたは、ローバーの相手をしているとき、その行動を注意深く見ているだけでいい。ローバーがあなたの方に向かって動き始めたら、「ローバー、おいで！」と言ってその行動に名前をつけ、すぐそのあとに、おやつや頭を撫《な》でるなどのご褒美を与える。同じように、ローバーが座り始めたら「ローバー、おすわり！」と言ってご褒美をあげる。このトレーニングテクニックが効果をあげるには、犬は、一回一回、その行動をとるたびにご褒美を与えられる必要がある——あたかも命令に従ってその行動をとったかのように。ご褒美をもらうたびに、あなたがラベルとして使う命令の言葉と犬の行動の間の関連性が強まる。これを数回繰り返すと、犬の頭の中で、命令が、行動とご褒美と結びつく。すると犬は、あなたがその言葉を言うだけでその行動をとるようになるはずだ。

自発行動キャッチングには、考え得る問題がいくつかある。明らかな問題の一つは、あなたが犬に教えたい行動を犬が実際に行なうまで、時間がかかるかもしれないということだ。だが、座ったり、伏せたり、あなたの方に来たり、といったシンプルな動作なら、犬は頻繁に行なうので「キャッチ（捕獲）」するのも簡単で、この方法で教えることができる。特定の行動をとるとご褒美がもらえる、ということをいったん犬が理解すれば、たいていの犬はこの経験を楽しいゲームだと思う。ただし、どの動作をするとご褒美をもらえ、どの動作ではもらえないのかがわかるまで、犬は何度か「当てずっぽう」の行動をとる必要があるかもしれない。その過程で犬は何度も間違えるが、それが普通だ。実際、間違いは役に立つ――ご褒美をもらえる行動が強化されるのと同様に、ご褒美をもらえない行動は弱化されるからである。こう考えるといいかもしれない――間違えば間違えるほど、あなたの犬は、ご褒美がもらえない行動を早く覚えるのだ。最終的に、犬は得にならない行動を選択肢から外し、ほしいものをもらえる行動を繰り返すようになる。

犬はこの訓練が楽しそうだし、簡単なので小さい子どもも参加できる。自発行動キャッチングは、犬を集中させ、落ち着かせるらしく、怖がりで内気で社交性に欠ける犬、あるいは攻撃的な犬をしつけるのに特に役立つテクニックだ。

もう一つ、この訓練方法の問題となり得る点に、読者はもうお気づきかもしれない。つまり、その行動の邪魔をすることなく、ただちに犬に褒美を与えられるかどうかだ。クリッカートレーニングについて説明したときと同じ問題である。要は、犬に覚えさせたい行動を犬がとっている最中に褒美をやりたいのである。こっちへ来いというあなたの命令に従って犬があなたの方に近づいてきているからといって、全速力で走っていってご褒美にドッグフードをやろうとすれば、犬は、あなたに近づいてくるのをやめてしまいやすい。あなたの突然の動きは、自分は何か間違ったことをしたのではないかと犬に思わせることさえあるかもしれない。その結果、犬は立ち止まり、あなたは犬が自分の方に来ていることに対してではなく、立ち止まったことに対してご褒美をやっていることになってしまう。あるいは犬は怖がって急いであなたから離れ、あとで「おいで」という言葉を聞くと、どうしていいかわからなかったり、不愉快そうな素振りを見せたりするかもしれない。そこで、二次報酬——クリッカーの音でも、「いい子ね」とか「そうだ」という言葉でも、報酬としてあなたが選んだ合図なら何でもよいのだが——の出番である。

クリッカートレーニングについて説明した前項の手順に従って二次報酬を作ってしまえば、自発行動キャッチングはとても簡単だ。犬があなたに向かって歩き出したら、「ローバー、おいで！」と言って、続けてすぐに、クリッカーの音や「いい子ね」という言葉など、二次報酬を与える。犬があなたのところまで来たら、一次報酬（おやつ）を与えて連想を強化し、二次報酬がポジティブな感情で「充電」された状態を保持する。学習した合図をこのように使うとき、この合図を「橋渡し刺激」と呼ぶドッグトレーナーもいる。犬が正しい行動をとった瞬間から実際におやつを与える瞬間までの、時間の隔たりに橋を架けるからだ。

自発行動キャッチングが特に役に立つのは、強制することが難しい、あるいは不可能な行動を覚えさせたいときだ。たとえば、トイレのしつけをする際、犬が排便の姿勢をとったり排尿のために片脚を上げ始めるまで待って、その行動に名前をつける。「早く」とか「急いで」という名前を使い、犬が用を足している間に一、二度その言葉を繰り返して、その都度、すぐに「いい子ね」といった二次報酬を続けるのである。そして用が済んだら、おやつを与える。ほんの二、三週間で、「ローバー、早く！」という命令を聞くと犬があたりを嗅ぎ回って用を足す場所を選ぶようになるはずだ。こうして、犬の排泄行為の一部は、直接コントロールできるようになる。

ご愛敬に、自発行動キャッチングを使ってあなたの犬に簡単な芸当を教えてみよう。たとえば、あなたの犬がおやつをもらえることを期待して自発的に後ろ脚で立ったら、その動作に「ちょうだい」などと名前をつけて、それからおやつを与える。これを数回繰り返すと、犬は「ちょうだい」という言葉を命令と捉えて、それに応えて後ろ脚で立つようになる。つまりあなたは、犬の普段の行動を「キャッチ」して、それを芸当に仕立てたわけである。

ルアートレーニングとは何か？

訓練方法としての自発行動キャッチングの欠点の一つは、教えたい行動を犬が自発的にとるまで待っていなければならないという点だ。それに対し、傍観主義的な訓練法ではあるがより効果的なのが、ルアー（ご褒美）を使って実際に、教えたい行動を犬がとるように仕向ける「ルアートレーニング」である。最も効果が高くて、一番一般的に使われるご褒美は、ドライドッグフードやその他のおやつなどの食べ物だ。

あなたの犬にこの訓練を受ける準備があるかどうかは、ご褒美の食べ物を鼻の前で上下させてみればすぐにわかる。犬がご褒美を目と頭で追って、オーケー、とうなずくように頭を動かしたら、訓練の始まりだ。犬の頭を動かすことができれば、体全体を動かすことも可能なわけなので、ルアートレーニングを使って体のポジション（おすわり、伏せ、立てなど）を教えたり、動く方向（来い、ロールオーバー、スピン、右、左）を制御したり、さらに、あなたの望み通りの物や人に対して犬の注意を集中させることもできるのである。

おやつを見せてもあなたの犬が鼻で追わないようならば、最初のうちは、たとえばお気に入りのおもちゃなど、もっと魅力的なものを使えばよいが、時間をかけてでも、おやつをもらうために訓練するこ

とを覚えさせると非常に楽だ。私の飼い犬はすべて、しつけを始める前にまず、おやつを好きになるようにする。ドッグフードを一度にボウルで食べさせるのではなく、一日中、一粒ずつ手から食べさせるだけで、子犬は食べ物を好きになる。ボウルから一度に食べさせて、訓練に使う貴重なご褒美を無駄にしないことだ。やがてあなたの犬は、遊ぶこと以上に、あなたの手からドッグフードを食べることを楽しいと思うようになる。

ルアートレーニングのやり方はこうだ。たとえばあなたは、ラッシーを、命令したら座るようにしつけたいとしよう。ご褒美を使ってラッシーの鼻先を動かすことができれば、体全体もそれに続いて動く。まず、おやつをラッシーに見せ、それからゆっくりとそれを上へ、そして後方へと動かす。おやつはラッシーの鼻の真上を通り、両目の間を通って頭の後ろに向かって動く。ラッシーがおやつの動きを目で追うと、自然にお尻が下がっておすわりの位置になる。ラッシーが飛び上がるようなら、あなたがおやつを持っている位置が高すぎるのである。次に、自発行動キャッチングによる訓練のときと同じように、「ラッシー、おすわり！」と言ったあと、すぐさま続けて二次報酬の音（「そうだ」「いい子ね」またはクリッカーの音）を聞かせ、おやつを与える。最後に、「オーケー！」とか「おしまい！」という言葉と一緒に頭を軽く叩いてラッシーを解放する（これが自動的に、どんな動作をしているときでも、訓練終わり、の号令になる）。おすわりの号令では、犬が立ち上がる前におやつと二次報酬を与えることが重要なので、訓練の初期段階では、急いでやらなければならない。これを、ラッシーがあなたの横にいるときや前にいるときを交ぜながら数回繰り返せば、すぐに確実なおすわりの号令のできあがりだ。忘れてはいけないのは、あなたはあなたの犬に座り方を教えたわけではないということだ――ラッシーは子犬のときから座り方は知っていたのだから。あなたがラッシーに教えたのは、命令されたらおすわりをする、ということなのだ。訓練で最も重要なのは、犬が自分で座ろうと決めてもそれはどうでもよいということだ——そうではなくて、私たちが座ることを要求したときに座らせたいのである。

確実におすわりができるようになったら、今度は「ラッシー、伏せ!」と言って、ドッグフードを一粒、鼻のすぐ前まで降ろし、犬のすぐ目の前の床に向かって前方斜め下に動かす。犬がおやつを追って頭を下げると、普通は自然に伏せの姿勢になる。あなたの犬が逆に立ち上がっても気にせずに、伏せをするまで、ドッグフードを手の中に隠しておく。伏せをしたらすぐに、「いい子だ!」と言ってドッグフードを与える。

ご褒美を握っているあなたの手の動きに注目することを犬が覚えると、あなたの手の動きはやがて効果的な手信号になる。「おすわり」の合図には手の平を上にし、「伏せ」のときは手の平を下にする。これを数回繰り返すと、あなたの犬は、あなたの命令の声を聞いてそれぞれの手信号を予期するようになる。何度も何度も繰り返すうちに、声による命令だけで望みの反応が引き出されるようになり、つまり号令がご褒美に取って代わる。この時点で、犬にそれぞれの姿勢をとらせるのにおやつというご褒美はもう必要ない——手信号または声による号令だけで十分なのだ。

あなたの犬が安定して号令に従うようになったら、ご褒美を使うのを徐々にやめていく。ポケットにご褒美を入れておき、おやつは見えないようにして手だけ動かしながら、言葉の号令を与える。犬は、言うことをきけば、二次報酬(「いい子ね」とかクリッカーの音など)、続いてあなたのポケットに入れてあったおやつをもらえる。次に、手の動きをだんだん小さくしていくと、やがて犬は号令だけで言うことをきくようになる。上手にできるようになったら、食べ物を与えるのも徐々にやめていく。二次報酬としての褒め言葉だけを与えたり、褒め言葉とおやつの両方を与えたりを交ぜるのだ。少しずつ、おやつを与える回数を減らしていき、言う通りにしたことに対しておやつを与えるのは無作為に選んだ場合だけにする。ただし二次報酬の回数は決して減らさない。犬が言われた通りのことをした場合には必ず褒め言葉を与えるようにする――それによって犬は、実際におやつをもらうのと同じくらい良い気持ちになるからだ。

ルアートレーニングはじつはとてもシンプルだ。子どもでもこの方法で犬をしつけることはできる。犬もこれは好きなようである――犬にとっては、トレーナーが自分に何をさせたがっているかを当てるとおやつがもらえる、ゲームのようなものなのだ。

自発行動キャッチングもルアートレーニングも、リードを使わずに訓練できるという利点がある。リードがないことによって犬は、あなたとリードで直接つながっていなくても、あるいはあなたが離れたところにいても、あなたの命令に従うと良いことがある、と思うようになる。犬がそう思っていれば、あなたはあなたの犬をはるかに確実にコントロールできるのである。

身体的補助とは何か？

記録が残っている最も初期の犬の訓練方法は、リード、首輪、そして「身体的補助（フィジカル・プロンプト）」に依存するところが大きかった。だが、初めの頃実際に行なわれていたことを、「プロンプト〔訳注：促す、の意〕」という言葉で呼ぶのは穏やかすぎるかもしれない。犬は命令を与えられ、それから強制的にその姿勢をとらされた。だからその頃のトレーニングマニュアルには、犬に号令に従っておすわりをすることを教える方法として、「おすわり」という号令をかけると同時に片手でリードを上向きに引っ張り、もう一方の手で犬の尻を押し下げて、強制的におすわりの姿勢をとらせる、と書かれている。伏せをさせるには、リードを下向きに引っ張り、ときには首輪を摑んで補助したり、犬の脚を摑んで無理矢理前に伸ばしながら肩を押して伏せの姿勢を強要したりした。「つけ」（リードを緩めた状態で人間の左側を歩くこと）をさせるには、犬を軽く叩いたりグイッと引っ張ったりして、前に行きすぎたり遅れたりするのを防ぎ、必ず自分の横にいるようにした。

最初に書かれた犬のトレーニングマニュアルは、ドイツ軍の軍用犬を訓練するためのものだった。それは兵士を訓練するのに使われた理論と一貫性があった——つまり、兵士は求められた行動をとらなけ

ればならず、必要ならば強制的に要求通りの反応をさせられたし、そうしなければ罰せられたのである。その後、学習というプロセスに関する心理学者たちの研究が進むと、身体的補助を使い、さらに促した行動を犬がとったら褒美を与えれば、犬は簡単に言うことをきく、と言われるようになった。学習原理によれば、報酬をもらう直前に犬がした行動が強化されるので、これは心理学的に理に適っており、プロンプトとはつまり、褒美をやるために強制的に言うことをきかせるにすぎない、というのである。だが本当のところは、身体的補助は非常に複雑で、経験を積んだトレーナーでなければうまくいかない。適切なタイミング、リードの使い方に長けていること、そして絶対的な一貫性が必要とされ、ほとんどの人は、この方法をマスターするにはたくさん練習しなければならない。

身体的補助が正しく――つまり、適切なタイミングで、**優しく、辛抱強く、犬を怖がらせないやり方で**――行なわれれば、この方法は有効だ。身体的補助は犬を直接操り、訓練の一環として飼い主の手が犬の体中に触れるので、上手に行なえば、飼い主と飼い犬の絆が強まるという副次的な効用もある。だが残念ながら、経験の浅い人がこの方法を使った場合は特に、身体的補助が上手に行なわれることはめったにない。

まず、犬によっては、決まった姿勢を強要されることにとにかく抵抗するものがいて、身体的補助だったはずのものが、飼い主と犬のレスリングマッチと化す。この場合、とらせたい姿勢をようやくとらせておやつを与えれば、それはおすわりや伏せをしたことに対するご褒美ではなく、私たちが犬にそれをさせようとした努力に抵抗したことに対してご褒美をあげたことになってしまう。言い換えれば、じつは私たちは、犬がおすわりや伏せを**しない**ようにがんばったことに対してご褒美をあげているのかもしれないのである。

情動反応が学習され得るものであることはすでにお話しした。そこで身体的補助という方法を見てみると、正直なところ、リードをグイッと引っ張られるのは不快なことだと認めなくてはならない。つまり、リードを引っ張ることを補助として使った場合、犬は、リードや首輪を見たとき、また訓練に関連する状況自体に対して、不快、という情動反応を持つようになってしまうのだ。リードをグイッと上に引っ張る不快感に加え、同時にお尻を強く押し下げれば、手が触れることに対してもネガティブな感情を植えつけてしまっているかもしれない。

最後に、この方法ではトレーニングの間中、犬をリードにつないでおかなくてはならないため、リードにつないでいないときのコントロールは良くならず、むしろ犬には、飼い主の命令をきくのは物理的につながれているときだけでいいと教えているようなものだ――あなたが言うことをきかせることができて、犬がご褒美をもらえるのは、犬がつながれているときだけなのだから。

こうした理由から、中にはまだこの方法に頼る古風なドッグトレーナーもいるが、身体的補助を訓練の主な方法として使うのは、現在では流行らなくなっている。

シェーピング（行動形成）とは何か？

ここまで見てきた犬の訓練法は、うまく機能する場合もあるが、限界もある。たとえば、犬が自発的にとる可能性が低い行動は、自発行動キャッチングでは教えることができない。また、複雑すぎる、つまりステップが多すぎるために、ルアートレーニングや身体的補助が使えない場合もある。そういう行動を教えるためには、「シェーピング」と呼ばれる手法を使う。「漸次《ぜんじ》的接近法」と呼ばれることもある。シェーピングとは、ある行動、または行動の一部ができたときに褒美を与え、徐々に、最終的に教えたい行動に近づけていく、という考え方だ。

一九五〇年代のことだが、シェーピングの働きに関する基礎的な理解をもたらした研究を行なったとされる、ハーバード大学の著名な心理学者B・F・スキナーが、部屋の反対側の壁にかかっているベルを鳴らすことを犬に教える、ということを例にして、この訓練方法を披露した。スキナーによれば、まず最初にしなければならないのは、目標とする行動を正確に定義づけることだった。この例では、させたい行動は単に、ベルを押して鳴らす、ということである。次にその行動を、現実的な範囲でできるだけたくさんの、単純なパーツに分解する。それらの単純な行動を、自発行動キャッチングを用いて教え、

ご褒美として二次報酬の信号（ここでは「そうだ」という言葉にしておこう）、続いて少々の食べ物を与える。この例では、犬がとるべき行動のリストは以下のようになる。

1 頭をふり向かせてベルの方を見る
2 体全体をベルの方に向ける
3 ベルの方向に一歩踏み出す
4 ベルの方向に数歩歩く
5 ベルまでの距離の四分の一歩く
6 ベルまでの距離の半分歩く
7 ベルまでの距離の四分の三歩く
8 部屋を横切ってベルのそばに立つ
9 ベルの所へ行ってベルを見る
10 鼻をベルに近づける
11 鼻でベルに触る
12 ベルが動くまで強く鼻で押す
13 ベルが鳴るまで強く鼻で押す

非常に細かいステップを踏みながら進行していることがおわかりだろうか。そしてそれぞれのステップをマスターするまでは、次のステップには進まない。なぜ少しずつ進めるのかというと、そうすることで犬が次の順番の動作をする確率を高め、それをキャッチして報酬をやりたいからだ。その動作を覚えたら、次のレベルに進める。だからたとえば最初のステップは、犬が自発的に私たちから顔を逸らしてベルのある大まかな方向を向くということはあり得るので、その瞬間に素早く私たちが「そうだ」と言って、続けておやつを与える。犬はすぐに、訓練中、自分が正しいことをすればおやつがもらえる、ということを学ぶ。要するに私たちは、犬に自分で考えさせるための状況を作っているのだ。状況の設定がうまくいったとき、犬の考えていることを読めたとしたら、シェーピングを使った訓練を受けている犬はこんなことを考えているかもしれない――「どうしたらあのおやつがもらえるんだろう？ 何をすればいいんだろう？ こうかな？ 違った。じゃあ今度はどうかな？」という具合だ。犬に、いろいろな動きを試す意欲があればあるほど、私たちが望んでいる行動をとる確率も高く、そうすればそれをキャッチして報酬を与えればよいのである。

二次報酬（クリッカーの音、または褒め言葉）は、犬があなたの望み通りの反応をしたらできるだけすぐに、犬が他の動作に移る前に与えなければならない。まあまあのトレーナーと優秀なトレーナーの差は、どれだけ適切なタイミングで二次報酬を与えられるかにある。優秀なトレーナーは、同時に観察者としても優れていなくてはならない――さもなければ、報酬を与えるべき行動を見落としてしまうからだ。また、トレーニングにはある程度の柔軟性も必要だ。もしも犬がどこかのステップをマスターするのに苦労しているようなら、トレーナーはステップを一つか二つ戻って、犬がやる気をなくさないようにしなくてはいけない。それでもダメなら、そのステップをさらに、犬がマスターできる簡単なステップに分けられるかどうか考える。また、それぞれのステップは、次のステップに進む土台になるよう、確実に教えこまなくてはならない。ただし、一つのステップを犬が覚えたら、トレーナーは次のステップに進み、その前のステップに対して報酬を与えることを徐々にやめていく。

こういう訓練は、初めのうちはたいていすんなりと進むが、課題が複雑になるにつれて進行のスピードが落ちるかもしれない。トレーナーは、犬がイライラしたり訓練を放棄したりしないように、十分な報酬を与えられるやり方を見つけられるよう、注意を怠らないことだ。犬が少しでも不安な素振りを見せたら、トレーナーは、すでに犬が完全に習得したステップに戻って、そこから再び前進する。

させたい行動を命じる号令をいつ使い始めるかについては、意見が統一されていない。シェーピングが必要ない、おすわりや伏せといったシンプルな行動の場合、号令（「おすわり」「伏せ」）は普通、犬が正しい行動をとれるようになったらすぐに使い始めるものだ。シェーピングによって一連の行動を教えている場合、トレーナーは、犬が安定してその行動をとれるようになるまで号令は使わないことが多い。ここで見てきた例で言えば、犬がベルに向かって走っていて、次にベルを鳴らすことがわかっていれば、「ラッシー、ベル」と言ってもいい。私自身は、まず最初に、犬に動き始めるよう腕で促すなど、言葉を使わない合図をし、その後、やらせたいことを犬が実際にやっている最中に言葉の号令を加えるようにしている。

ほとんどの犬は、シェーピング法を使って訓練する時間を楽しみにするようになる。それが訓練なのだということがいったんわかれば、犬はたいてい、すでに知っている動作を次から次へとやってみせて、今回ご褒美をもらえるのはどれなのかをさっさと知ろうとする。頭の良い犬は、自分がすでに知っている動作にご褒美がもらえないのなら、何か別のことをやってみるべきだということを覚えるので、あなたが見たことのない動作をしてみせる——ひょっとするとそれが、今回あなたが強化しようとしている動作かもしれないからだ。これは、漸次的接近法を使った犬の訓練の副次的な効果だが、将来役に立つかもしれない新しい動作をキャッチするのに役立つ。

犬の学習能力の限界は？

犬はいったいどれくらいのことを学習できるのか、それを正確に知るのは難しい。近年のデータは、私たちが限界だろうと思っていたことを次々に超えている。おそらく、犬の知能の評価に関する突破口が見つかったのは一九九〇年代のことだ。当時私は、犬の知能の限界について知る方法の一つとして、人間の赤ん坊を評価するために開発されたテストを犬用に修正して使ってはどうか、と思いついたのだ。つまり、犬があるテストに合格点を出すということは、人間の子どもと同様に、そのテストが査定しているレベルの知能を持っていることを明らかに示しているわけである。さらに好都合なのは、テストの結果を使って、犬の成績に人間の精神年齢を対応させることが可能かもしれないということだった。犬の能力をこのように人間の子どもと比較すれば、犬の知能についてよりよくわかるかもしれない。どうやら私の推測は正しかったようだ——なぜならその後、犬の行動を研究する科学者が何人も、同様の方法を採り入れているのである。

この方法を私自身が初めて使ったのは、拙書『The Intelligence of Dogs』（一五六頁参照）に書いたように、犬の言語学習能力について研究していたときだった。私は、ごく幼い子どもたちの言語とコミュニケーション能力を査定するための回答用紙数種から成るマッカーサー乳幼児言語発達質問紙に、言

葉だけでなく、身振りも含めて変更を加えた。言葉と身振りを理解するような特別な訓練を受けていない、家庭でペットとして飼われている犬だけを対象として調査した結果、平均すると、犬は大まかに言って人間の二歳児と同等の知能を持っている、と私は結論した。さらに研究を続けると、最も知能の高い犬は、二歳半の人間の子どもと同程度の知能があることがわかった。ただし、人間の言葉を最大限理解させるような具体的な訓練を犬に施さないかぎり、犬の能力の限界がどこにあるかはわからない、という注意書きつきだった。

私の推測が正しければ、頭の良い犬を訓練して、二〇〇、あるいはそれ以上の単語を理解させることができるはずだった。最初の研究から数年後に発表された科学報告書は、語彙を増やすような具体的な訓練を受けたリコという名前のボーダー・コリーが、それに近い範囲の語学能力を持ったとしてこの推測を裏づけた。それ以降、数々の研究者が、犬はいったいどれくらい言語を学習できるのかをつきとめようとしている。この本を書いている現在、おそらく最も進んだ言語能力を持つ犬は、現役を退いたジョン・ピリーという心理学者が飼っている、チェイサーという名のボーダー・コリーだろう。チェイサーは、約一〇〇〇個の単語を理解する――人間の三歳児相当である。チェイサーは、単語を理解するだけでなく、たとえば「ボール」という概念や種類を、大きさや質感の違うさまざまなボールを含めて理解する。だがチェイサーがこの能力を身につけるのは容易なことではなく、多大な訓練を必要とした――ピリー博士は、ときには一日四時間以上を犬の訓練に費やしたのである。したがってピリー博士の研究は、犬を訓練してどこまで言語を覚えさせられるか、という観点で限界に近いものと言っていいのではないだろうか。

犬の学習能力が、人間の二歳児から三歳児の知能のあたりをウロウロしているらしい、という事実は、いくつかの但し書きとともに理解する必要がある。犬は、その年齢の人間の子どもよりも運動神経が発達しており、身体能力が高いので、人間の子どもは、ジャンプする、泳ぐ、といった概念は理解できてもそれをすることは期待できない一方、犬にはできる。逆に人間の子どもは、四本の指と、それと向かい合わせの親指があるおかげで、犬よりも操作能力が高い。さらに、課題の中には感覚能力に依存するものがあり、優れた色彩識別能力を必要とすることを犬に覚えさせようとしたり、嗅覚に依存する作業を人間の子どもに教えようとするのは、言うまでもなく不適切である。

最後に、この結論をあてはめるのは知的能力に限定することが重要だ――なぜなら犬は、セックス、支配、社会的グループ内での順位に関心を示し、社会的意識という意味での犬の知能は人間のティーンエージャーに近いからである。

こういった研究から何か結論を導き出せるとすれば、それは、少なくとも言語、物体認識、概念形成の能力については、犬はほぼ人間の二歳児と三歳児の間の知能を持っている、ということだ。つまり、人間の二歳児、三歳児には難しすぎて解決できない、あるいは身につけることができない問題や課題は、おそらく犬の能力も及ばないのである。

PART 5

子犬と老犬は特別な存在か？

子犬はどうやって生まれてくるのか？

世界中にどれほどの数の犬がいるかを考えると、平均的な人が犬の妊娠・出産についていかに何も知らないかには驚かされる。

メス犬がオス犬を交尾の相手として受け入れるのは、「盛りのついた」ときだけである。科学的な用語を使えば、三週間にわたるこの期間のことを「発情期（estrus period）」という。estrusという言葉は、ギリシャ語とラテン語で「激高した情熱」を意味し、まさに、この期間中のメス犬が多数の性交渉相手を歓待する様子をよく表わしている。一般的に言って、ほとんどの犬種は年に二回の発情期があるが、発情期と発情期の間隔は、六か月から九か月までいろいろだ。オオカミのような野生のイヌ科動物は年に一度しか発情期がないし、バセンジーやローデシアン・リッジバックといった比較的野生の祖先に近い犬種も、そのパターンを踏襲して年に一度しか発情しない。

人間の女性の場合、月経中の膣からの出血は不妊期間を意味するが、犬の場合、メス犬が間もなく発情期に入るときにまず出血があり、それから色が薄くなる（ただし、発情期の間中出血が続く犬もいる）。メス犬は約二一日間盛りがついたままだが、交尾を許すのは約一〇日間ほどで、それは通常九日目から始まる。その間、メス犬の尻尾の付け根に触れると、犬は尻尾を片側に傾けてオス犬が交尾でき

るようにする。ブリーダーの中には、これを「ふしだらな」行動と呼ぶ者もいる。実際に妊娠が可能な期間は、出血が止まり、卵子が放出（排卵）されたときに始まる。妊娠できる期間はずっと短くて、四日から七日しか続かない。

犬の正常な妊娠期間は約五八日から六五日（八週間から九週間）だ。初めの数週間はメス犬に変わった様子は見られない。ホルモンのバランスが変化し始めると、妊娠の最初の兆候である乳腺の肥大が起こり、妊娠六週間くらいで乳首が見えるようになる。発情期が終わって、この頃になると、避妊手術を受けておらず、かつ受精もしなかったメス犬が、「偽妊娠《ぎにんしん》」の兆候を見せることがある。偽妊娠している犬はよく、おもちゃ、スリッパ、その他のものを集めたり、隠れ場所を作ったり、集めた物が子犬であるかのようにその面倒をみようとする。普通こうした行動は自然に消える。

犬の子宮はアルファベットのYという文字のような形をしていて、二股に分かれた子宮角《しきゅうかく》の「角」が、お腹の両側に一本ずつある。交尾がうまくいけば、二本の子宮角のそれぞれに、成長中の胎児が莢《さや》の中の豆のように並ぶ。メス犬が妊娠しているかどうかは触診（指でそっと押すこと）でわかるし、子犬を何頭妊娠しているか数えられることさえある。これは妊娠四〜五週間の頃に可能だが、それより遅くなると、子宮が液体で一杯になり、いずれ生まれて子犬になる「塊」の一つひとつを区別することはできなくなる。

妊娠中のメス犬は、出産の一日くらい前から明らかに食欲がなくなり、子犬の誕生まで間もないことを知らせる。落ち着きがなくなり、出産場所を探し求めるが、必ずしも飼い主が用意した素敵な産室を選ぶとは限らない。

陣痛が始まる少し前に最初の羊膜が破れる。羊膜は子犬一頭に一つずつある。羊膜が破れると、尿のように見える水たまりができる。それから徐々に陣痛が強まり、陣痛が始まって二時間ほどで最初の子犬が生まれる。続く子犬たちはそれぞれ、一〇分から七五分の間隔をおいて、右側と左側の子宮角から交互に生まれてくる。同腹の子犬の数が少ないと、子犬が大きくなるので産道を通るのが難しくなり、生まれるのに時間がかかる。数が多く、子犬が小さい方が生まれるのはずっと速い。

交配によって特定の犬種を創る過程で、人間は、一部の犬種の出産を困難なものにしてしまった。ヨークシャー・テリアのような非常に小さい犬種は、帝王切開（外科的に開腹して子犬を取り出すこと）が必要な場合もある。同じことが、たとえばイングリッシュ・ブルドッグのように、交配によって頭が大きくなりすぎて、母犬の腟を安全に通過できない犬種にもあてはまる。

一般的に言って、一度に生まれる子犬の数は犬種によって異なり、小さい犬種の方が数が少ない。それと対照的なのが、体高七五センチ、体重七〇キロを超えることもある大型犬、ナポリタン・マスティフのティアという犬だ。二〇〇五年、この大きな犬はなんと、一度に二四頭の子犬を産んだのである。

一緒に生まれた子犬なのに、全然似ていないことがあるのはなぜか？

一緒に生まれた子犬たちが互いによく似ていて、クローンではあるまいかと思うこともあれば、姿形、大きさ、色、性格までバラバラなこともあるのは、まったく目を見張るばかりだ。このようにいろいろなケースがあるのは、すべて遺伝によるものである。

原則的には、両親の外見、大きさ、行動のしかたが似ていれば似ているほど、子犬たちも似ている。だから、純血種の犬の同腹の子犬たちが、混血の子犬たちよりもずっと互いに似ているのは驚くにあたらない。純血種は、選抜育種することによって、同一犬種の個体間でのばらつきが雑種よりもずっと少なくなるように操作されてきたからである。体の形、色、基本的な行動素質を含め、特定の性質は「調整」が加えられて、その犬種が持っていて当然の特徴となった。たとえばゴールデン・レトリーバーから生まれる同腹の子犬たちに、黒い犬やまだら模様の犬が交じっていることは決してない。同一犬種の犬が間違いなくある同じ特色を持っている理由は、遺伝学者が「ホモ接合性」と呼ぶものがあるからだ。平たく言えば、同じ犬種の犬は似かよった遺伝物質を持っている、ということである。したがって、あなたが二頭のコッカー・スパニエルを交配させた場合、ブルドッグのような子犬は決して生まれない。

これはつまり、鍋に鶏ガラのスープがあるようなものだ。何度おたまですくっても、すくえるのは鶏ガラスープだけなのだ――スープが均一だからである。

だが、違う犬種の犬を交尾させた場合、状況はまったく変わる。遺伝学で言う「ヘテロ接合性」、つまり、異なった遺伝子がさまざまに交ざり合った状態が出現するのである。スープの比喩に戻れば、今度は鍋にあるのはいろいろな野菜がゴロゴロ入った野菜ビーフスープだ。この中におたまを入れれば、あるときは牛肉の塊とジャガイモ、それにエンドウマメがすくえるかもしれないし、また別のときは牛肉とジャガイモはほとんどなくて、エンドウマメ、ニンジン、玉ネギがたっぷりすくえるかもしれない。つまり雑種犬の場合は何でもありなのだ。例として、スコティッシュ・テリアとプードルを交配させるとしよう。生まれた子犬の中には、スコティッシュ・テリアに見えるものもプードルに見えるものもいるだろう。また、二つが奇妙に混じったものもいるかもしれない――脚の長いスコティッシュ・テリアとか、四角い顔のプードル、あるいは毛が縮れているスコティッシュ・テリア、というふうに。

犬種の掛け合わせ以外にも、犬の場合、同腹の子犬が似ていなかったり、行動のしかたが違ったりする理由がある。一緒に生まれた子犬の中に、父親が違うものがいることがあるのである。良心的なブリーダーが育てた純血犬であれば、そういうことが起きないように細心の注意が払われているが、それでも起きる可能性はある。なぜなら、メス犬は一度に複数の卵子を排卵するからだ。一度に一頭ではなく、何頭も生まれる理由である。排卵時、卵子は未成熟で、排卵後二、三日は成熟し続ける。だが、未成熟とは言っても、中には精子が貫通できる程度に成長している卵子もあるし、卵子は完全に成熟した後、二日から七日ほどは受精可能な状態にある。オスの方はと言うと、犬の精子は最長八日間にわたって生存し、受精機能を果たすことができる。そこに、行動的な要因、すなわち、犬は複婚制で、オスは性交できる相手となら誰とでも性交し、そしてメスは一週間かそれ以上の間オスを受け入れる、という事実を加えると、状況は複雑になる。つまり、ママがモテモテならば、その子どもたちはお互いに似ていないかもしれないのだ——同腹とは言ってもパパが違うのだから。

子犬はなぜ、生まれたときに目と耳が閉じているのか？

哺乳類はその進化の過程で、事実上、それぞれの種がそれぞれの選択を迫られた。固有の環境の中で、自分や子孫が生き残れる可能性が最も高い生殖と発達の戦略を選ばなければならなかったのである。選ばれた選択肢はまた、動物が生存するためにとる通常の行動パターンと合致していなくてはならない。哺乳類は胎生なので、選択肢としては、妊娠期間が長く、完全に形成され身体機能も整った子どもを産むか、短い妊娠期間の後、自分では何もできず手がかかる、未熟で形成が不完全な子どもを産むかのどちらかである。

一端には、シカやウシのような動物がいる。たとえばウシの妊娠期間は九か月である。生まれたばかりの子ウシは体重が二五〜四五キロあり、脳は完全にできあがっている。感覚器については、見ることも聴くこともしっかりできる。何よりも重要なのは、群れについていけるだけの速さで走ることができる、という点だ。生物学者はこうした、比較的成熟して機動性のある子どもを産む動物を「早成性(precocial)」と呼ぶ。これは、実年齢から想像される成熟度を超えた精神の成熟度を見せる早熟な子どものように、例外的に早く成熟に達する性質を指す「precocious」という言葉からきている。敵の追跡から逃れる能力によって生き残れるかどうかが決まる動物種にとっては、成熟して生まれる必要があるのは明らかである。

犬を含むイヌ科の動物はそれとは真逆だ。野生の環境では、イヌ科の動物は狩りをして生きている。妊娠しているメスは動きが遅くなり、動きが俊敏な獲物を捕らえたり、群れが協力して行なう狩りで自分の役割を果たすのが難しい。だから、子どもをさっさと子宮から地上に送り出す方が有利なのだ。加えて、狩りと狩りの間（ときには何日も間隔があくこともある）にはすることがあまりないから、メスは無力な子どもたちの面倒をみる時間がある。母親が食べ物を追いかけている間は、子どもたちは巣穴にいれば安全だ。

犬の妊娠期間も短く、ほんの二か月ほど——平均すると五八日から六五日にすぎない。だがその代わり、生まれたての子犬は非常に無力である。生物学では、未熟で依存的な子どもを産む動物を「晩成性（altricial）」と呼ぶ——「大事に育てる」「養育する」または「養う」といった意味を持つラテン語の言葉が語源である。こうした動物種の子どもたちは、長い期間にわたって食べ物を与えられ、面倒をみてもらう必要があることを意味している。

脳を含む、子犬の生存に必須の器官の多くは、生まれるときには完全に形成されておらず、その後数週間かけて急速に発達する。目についても同様である。つまり、子犬が瞼をしっかり閉じて生まれてくるのは、目そのものがまだ発達の途中で非常にもろい状態だからなのだ。未成熟な視覚系がほこりや塵などの異物、あるいは病原菌によって傷つけられるのを防ぐバリアの役割を果たす瞼を閉じて、目を守る必要があるのである。さらに、この時期に明るすぎる光にさらされると、まだ虚弱な光受容体や視覚機構が傷つく可能性もある。

ほとんどの子犬は生後二週間ほどで目を開け始めるが、それでもまだ子犬の目は発達しきっておらず、機能も完全ではない。子犬の目が成熟して視力が正常に近づくには、まだ数週間かかる。

子犬は、誕生時、目を閉じているのと同じように、外耳道《がいじどう》が閉じているため耳もほとんど聞こえない。発達途中の耳には比較的静かな環境が重要だ——音を聞くという行為には、成熟した耳の構造を物理的に動かす圧力の変化が関連しているからである。子犬のもろい聴覚機構が完全に発達する前に、強制的に入ってくる音に反応させれば、音を聞くのに必要な基本構造に大きなダメージを与えかねない。

外耳道は目が開くのと同じ頃に開き始めるが、それが開いた時点では、耳の方が目よりもはるかに完全に形成されている。通常、外耳道が開き始めてから一週間ほどで、子犬の聴覚は完全になり、非常に鋭い。

なぜ子犬の目は初めは青いのか？

生後二週間ほどで子犬が初めて目を開けたとき、目は青い色をしている。普通は「乳白色」に見える灰色がかった青だが、淡い水色や、緑がかった水色のこともある。この青い色は魅力的に見えるかもしれないが、これはじつは子犬の目がまだ成熟しきっていない印だ。この場合、発達が完全でなく、成熟しきっていないのは虹彩《こうさい》、つまり瞳の色の部分である。虹彩の役割は、瞳孔（中央の、光を通過させる黒い穴）の大きさを変えて目に届く光の量を調整することだ。瞳孔以外のところから光が入ってくるのを効果的に遮断するために、虹彩には色素があって、その色素が光を吸収する。ところが、この色素は発達するのに時間がかかる。

「でも青というのは色素ではないの？」とお思いかもしれない。じつは、この青色は目の色素からくる色ではなく、「レイリー散乱」と呼ばれる物理的原理によるものだ。空を一律に青く見せるのと同じ原理である。これは、光線が、光を反射するものにぶつかると、波長の短い光（私たちの目には青く見える）の方がより激しく分散し、散り散りになる、という事実にもとづいている。空の場合、太陽の光が水蒸気の分子や塵の粒子にぶつかると、青い色をした短い波長がその周囲に効果的にばらまかれて、空全体が青く見えるのである。色素が少ない子犬の虹彩から入る光にもこれと同じことが起こって、その

結果、私たちには虹彩が青く見えるのだ。

この青い色は、いずれ虹彩が色素で一杯になれば消えるが、それには最長で二か月ほどかかる。最終的には目は成熟した色になり、犬種によって、ほとんど真っ黒なものから、各種の茶色、そして淡い金色がかった黄色まで、さまざまである。例外もある――最もよく知られているのは、シベリアン・ハスキー、それにコリー、シェットランド・シープドッグ、オーストラリアン・シェパードなどの牧畜犬を含むいくつかの犬種で、それらの多くは濃い色の色素の数が少ないまま、つまりずっと目が青いままだ。

これに似たことは人間にも起きる。アフリカやアジアの血を引く赤ん坊はたいてい、生まれたときから目が茶色くてずっと茶色のままだが、白色人種の赤ん坊は、鉄灰色または濃い青色の目をして生まれてくることが多い。生後九か月間で色素の密度は高まり、灰色または青のままの場合もあることはあるが、時とともに、子犬の目と同様、緑色やハシバミ色に変わることも多いし、大多数は茶色に変わるのである。

なぜ子犬たちはかたまって眠るのか？

一緒に生まれた子犬たちは、特に生後すぐの数週間、眠るときはたいていひとかたまりになり、ぴったり体を寄せ合う。互いに重なり合っていることも多い。これには二つの理由があるが、主な理由は暖をとるということだ。

子犬はかなり未発達な状態で生まれてくることを思い出していただきたい。生後すぐの二週間から三週間、子犬たちには自分の中核体温〔訳注：体の内部の安定した体温〕を維持することすらできないのである。成犬の平均的な体温は三八度だが、生まれたときには、子犬は体温を三六度にするくらいの熱しか発生させることができない。子犬の平均体温は数週間かかって徐々に正常体温まで上昇するのだが、それまでは、十分な暖をとるには完全に周囲の環境が頼りである。しっかりしたブリーダーのところへ行けば、ほとんどが子犬のためになんらかの形で暖房を用意しているのはこういうわけなのだ。電気座布団を置いたり、子犬が届かないところに室内暖房具を置いたり、子犬の居住区域内の安全な高さのところに加熱用ランプを吊したりするのが一般的だ。あるいは、子犬の居住区域をオイルヒーターやセントラルヒーティングの送熱口の隣に設置することもある。重要なのは、温度が高くなりすぎないようにすることだ——母犬もそこで時間を過ごさなくてはならないが、温度が高すぎるのは成犬にとっては問題

だからだ。

　幸いなことに子犬が暮らす環境には、もう一つ、手近で簡単に利用できる暖房手段がある。一緒に生まれた兄弟たちの発する体温である。よくあることだが、子犬たちは山になって眠る——なぜなら、同腹の子犬たちは一頭また一頭と身を寄せ合い、その体温で暖をとろうとして兄弟姉妹の上によじ登ったりその下に潜りこむことも多いからだ。

　子犬が重なり合う二つ目の理由は——子犬が成長するにつれてこちらの理由の方が重要になるのだが——、子犬は非常に社交的で、自分以外の生き物と一緒にいることを切望するからである。もしも他の子犬たちや母犬から引き離されて独りぼっちになると、子犬は動揺し、錯乱状態に陥ってしまう。つまり、それぞれの子犬は同腹の子犬たちにとっての社会的な仲間の役割を果たし、自分もまた、同腹の子犬たちと触れあえるようにぴったり身を寄せ合うことで安心を得るのである。同腹の子犬たちがみな、互いの存在によって安心しようと身を寄せ合う結果、子犬の山ができあがるというわけなのだ。

抱き上げると体をだらんとさせる子犬がいるのはなぜか？

子犬が見せる奇妙な振る舞いの一つが、抱き上げたときの反応だ。床でコロコロと跳ね回り、兄弟たちと取っ組み合いをして遊び、あふれんばかりの、でもまだちょっとぎこちないエネルギー満載で走り回っていたのに、抱き上げるとまるで電気で動くおもちゃのスイッチを切ったかのようになる。どういうわけか子犬は、茹ですぎたスパゲティのようにだらんとして、筋肉を弛緩させ、目をつぶってしまうことさえある。

あなたが目にしている反応は、進化の過程を通して受け継がれてきたものだ。飼い犬の祖先であるオオカミやその他のイヌ科動物は、自然の中で、子どもたちを巣穴に隠すことでその安全を確保していた。安全を脅かす可能性のあるものが近くにあればなおさらだ。母親が子どもを連れ戻そうとするのを見ていると、母親は首筋をくわえて子どもの体を持ち上げ、安全な巣穴に運んでいく。母親が全部の子どもたちを素早く安全なところに運べるように、子どもは、脚が地面から離れるやいなや体をだらんとさせる。もがけば自分が傷つくか、母親の怒りを買うだけだ。おとなしくしている子どもがさっさと危険な状況から逃れられるのに対し、もがく子どもは置き去りにされるかもしれない。進化の法則によれば、

おとなしく言うことをきいてじっとしている子どもの方が生き残る。だから、次世代の子どもたちの中ではそういう行動が固定される。

だが、こういう振る舞いはずっと続くわけではない。時間が経つと、抱き上げられたときに子犬がだらんとする確率は低くなる。人間の思春期にあたる時期がくると、ティーンエージャーがみなそうであるように、自分の行動を規制しようとするものに対しては積極的に抵抗するようになるのだ。

最初の数週間、母犬が子犬の糞尿を食べるのはなぜか？

　生まれたての子犬はあまりにも無力で未成熟で、自分で排泄することさえできない。この、非常に基本的な行動さえ、母親が刺激して手伝ってやらなければならないのだ。母犬は、子犬の陰部や肛門の周辺を舐《な》めて刺激し、排尿や排便を促すのである。

　母犬がこうやって世話を焼くのは、子犬が見たり聞いたりできるようになり、立ち上がって（多少ヨロヨロしながらも）歩き回れるようになる約三週間後までである。そのくらいまで成長すれば、子犬はもう排泄するのに母親に刺激してもらう必要はなくなる。

　初めのうちの、自分で何もできない時期、そしてその後もしばらくは、母犬が子犬の糞尿の後始末をする。つまり、尿と糞便を舐め、飲みこむのである。そうすることで母犬は、野生のイヌ科動物など、巣穴に棲む動物が進化の過程で受け継いできた大切な行動をやってみせているのだ。

　自然界では、巣穴が目立たないことが重要だ。そこに棲む動物の糞の匂いがすれば、それだけ巣穴は捕食動物に見つかりやすい。母犬が糞尿の後始末をするのは、巣穴に関連した本能がまだ根強く残っているからで、母犬は子犬たちに、できるかぎり早いうちから排泄は巣穴の外でするように「指導」する

のである。飼い犬にトイレのしつけができるのも、この「巣穴を清潔にしておく本能」のおかげだ。犬は、飼われている家全体を自分の巣穴と見なすようになると、排泄を外で、住処から離れたところでしたいと強く思うようになる。逆にウシやウマやサルにトイレのしつけができないのも、これと同じ理由である。巣穴を清潔にしておくという本能がないからだ。

人間の感覚で言うと、尿や糞を食べるというのは不快な行為に思えるが、子犬が排泄したものはさして有害なものではない。排泄されるのは単に、母乳が消化されたあとに残ったものだけだし、母乳は効率の良い栄養の補給源で、消化できないものがほとんど含まれていないので、子犬の尿や糞は匂いもほとんどないし、味らしい味も（少なくとも母親が不味いと思う味は）しないらしい。どうやらこうして、母乳だけを飲み、母乳を消化するための酵素が働いているおかげで、子犬の吐く息はあの特有の甘い香りがするようだ。それを「乳と蜜の渦巻いたような」香り、と表現する人もいる。

だが、甘く無害だった子犬の排泄物も、子犬の食べるものに固形物が増え始めると変わってしまう。食べるものが変化したあとの子犬の排泄物には、糞が美味しくなくなる成分が含まれているらしく、その成分によって子犬の息もまた、成犬と同じような、おなじみの犬臭さがするようになる。こうして味が変わると、母犬が子犬たちの糞尿の後始末をすることも少なくなる。

この変化はいくつかの影響をともなう。一つは、日中母犬が、子犬をねぐらの外に追い出す時間が長くなっていき、その結果子犬たちが、普段眠るところから離れた場所で排泄する習慣を身につける可能性が高くなるということだ。また母犬自身も寝床で過ごす時間が短くなり、これはつまりいつでも乳を吸わせられるわけではないことを意味する。乳を吸わせる時間が短くなれば、母犬の乳の出かたも少なくなる。これはすべて離乳のプロセスの一部であり、それによってやがて子犬たちは自分で餌を探し、より自立した生き方をするようになるのである。

あなたの犬は何歳か？

犬は人間より成長が速く、寿命が短い。多くの人が、自分の飼い犬の歳を人間の年齢に換算し、犬がその一生の中でどのあたりにいるのかを知りたがる。犬の一年は人間の一生のうちの七年にあたる、というのを聞いたことがあるかもしれないが、じつはそれは正しくない。その推定値は、人間の平均寿命が七〇年で、犬の平均寿命が一〇年と考えられていたときのものなのだ。平均寿命だけをとって、犬の一年は人間の七年にあたる、と計算したのである。

犬の一年が人間の七年と同等であるとする考え方のどこが決定的に間違っているかと言えば、それはごく単純なことだ。子犬は最初の一年で急速に成長と変化を遂げ、その段階では、肉体的にも精神的にも人間よりずっと速く発達するのだ。先ほどの計算が正しいとすれば、一歳の犬は生理学的には人間の七歳児に匹敵することになる。だが、一歳になった犬は子どもを産むことができ、そのため、飼われている犬の多くは一歳になる前に去勢あるいは避妊手術を受けている。一方、子どもが産める人間の七歳児をあなたはご存じだろうか？　人生の終盤については、たとえば一二歳の犬のことを考えてみよう。一二歳というのは犬にしては長生きだが、そこまで生きた犬のほとんどは、それでもまだ、関節炎にかかりやすい犬でないかぎり、かなりしっかり動き回ることができる。犬の一年が人間の七年に相当する

とすれば、一二歳になった犬は人間なら八四歳で、シニア・アスリートでもないかぎり、八〇代の半ばになって一二歳の中型犬のように機敏に動ける人はそういないだろう。では、現在の科学的見地に従って計算をやり直してみよう。

あなたの犬は、一歳になった時点で、人間ならば一六歳に等しい身体的能力を持っている。二歳になると、人間で言えば二四歳に近い。続く三年間（犬が五歳になるまで）は、一年ごとに人間の五年分歳をとる。ところが、五歳の誕生日を超えると、もう一つ別の変数を考慮する必要がある。

他の要因がすべて一定だとすると、一般的に言って、大型犬の方が小型犬より寿命が短い。この違いは、犬の生物学的年齢が五歳を超えた頃から重要になってくる。そこから先は、小型犬なら一歳ごとに人間の四歳分が加わるし、中型犬なら五歳分、そして大型犬の場合は六歳分である。これらは、人間の発育変化と比較して犬の体がどのように変化していくかということを反映させた、切りのいい数字である。複雑に聞こえるかもしれないが、じつは非常に単純な計算だ。

一二歳のミニチュア・プードルが人間なら何歳かを計算してみよう。便宜上、ここではミニチュア・プードルを小型犬とする。まず、最初の二年間は人間の二四年、それから次の三年間はそれぞれ五年ずつ加える。ここまでで、人間で言えば三九歳になる。残りの七年については、一年ごとに四歳ずつ、合計二八歳を加算する。先ほどの三九歳にこれを加えれば、人間年齢六七歳、初老犬ということになる。これが中型犬ならば、五歳以降は一年につき五歳、つまり最初の五年間にあたる人間年齢三九歳に三五歳加えて、人間年齢七四歳になる。現在、発展途上国における人間の平均寿命は七四歳、中型犬の平均寿命は一二歳である。大型の犬種なら、犬が五歳を過ぎてから毎年六歳ずつ加えるので、人間なら八一歳で、ほとんどどんな基準で言っても老齢ということになる。

この計算式はたいていの場合あてはまるが、ある犬が実際にどれくらいのスピードで歳をとるかは、犬種、どのくらいよく手入れされているか、さらにその他の要因が関係している。

老犬はアルツハイマー病にかかるか？

犬や人間が歳をとると能力が落ちるのはなぜなのか、誰も正確には知らない。一説には、遺伝物質（ＤＮＡ）は新しい細胞ができるたびに自らを複製するが、次々と複写されるに従って正確さが衰えていくのだという。いわば、コピー機でコピーのコピーのそのまたコピーを作ると、そのたびにきめが粗く、読みにくくなっていくようなものだ。ＤＮＡの損傷はまた、宇宙線から照射される自然放射線の他、地上にある原因（たとえば大気汚染物質やある種の溶剤のガスを吸いこむなど）からも発生し、それが今度は酵素生成に欠陥を生む原因となったりもする。酵素欠損は神経系その他における細胞の死滅を招く。老化に関する別の説では、単なる消耗にその原因があるとし、肉体のさまざまな器官系や神経系は頻繁な使用によって壊れ、ストレスがあるとそのスピードが速まる、という。さらに、老化の原因は、細胞内に代謝老廃物が蓄積したり、不安定な化学物質（フリーラジカル）が増えて細胞内粒子と反応し、細胞の機能を損なうことが原因だとする説もある。

老化現象の原因が何であれ、犬の（そして人間の）脳や神経系は、歳をとるにつれて著しく変化する。老犬の脳は、若い犬に比べて小さくて軽く、その差は非常に大きい——歳をとった犬の脳は、最高で二五パーセントも軽いのだ。ただし、この変化は必ずしも脳細胞が死滅するためではないことは、留意が

必要だ。実際、私たちが失うのは主に、神経細胞の一部、具体的には、神経細胞と神経細胞を結ぶ神経繊維（樹状突起および軸索《じくさく》）である。歳をとるにつれて、この細胞間のつながりが壊れるのだ。脳を、複雑な回路で結ばれたコンピュータのようなものと考えれば、中央処理装置のさまざまな回路がコネクションの不良のために機能しなくなったのと同じである。脳の大きさと重さが減少するのは、主にこのコネクションが失われるからなのだ。

加齢とともに、脳内で起こる化学物質の変化が、行動様式、記憶、学習能力に影響を与える。犬や人間の場合、養分をエネルギーに変えるのは細胞核内にある極小の糸のようなミトコンドリアの役割だ。犬や人間が歳をとると、このミトコンドリアの効率が下がる。ミトコンドリアに穴が開いたかのように、「フリーラジカル」という化学物質を放出し始め、それが、細胞が正常に機能するのに欠かせない化合物を酸化させてしまうのだ。そうした化合物が失われれば、細胞は危険にさらされる。細胞組織が劣化するにつれ、「アミロイド」と呼ばれる貯蔵タンパク質が脳に蓄積する。大量のアミロイド蓄積は、特にそれが死滅した、あるいは死滅しつつある神経細胞の塊と一緒に見られる場合、その人がアルツハイマー病にかかっている印であるとされる。トロント大学で、心理学者のノートン・ミルグラムを含む研究者チームによって行なわれた研究によれば、大量のアミロイドが脳に蓄積している犬は、記憶力が低く、新しいこと、特に、複雑な思考と問題解決を必要とすることを学習するのが困難だった。この、アルツハイマー病にあたる犬の病気は、「犬の認知障害症候群（Canine Cognitive Dysfunction Syndrome：ＣＤＳ）」と呼ばれている。

この症候群の身体的な兆候（解剖によってのみ見つかる）を見ると、アルツハイマー病にかかった人間の脳に起きるのと同じ類の退行性病変〔訳注：歳をとることによって進む細胞、組織、体の構造や機能の一方向性の低下〕があることがわかる。歳をとると、人間と同じく犬も自然にアミロイドβが蓄積していく。この、でんぷんに似たタンパク質は、蓄積してろう状になり、老人斑を形成する。形成された老人斑は脳の働きを妨げ、脳からの信号の伝達を阻害する。アルツハイマー病も犬の認知障害症候群も、蓄積した老人斑の量で、精神的・認知的機能障害の程度が推し測れる。

認知障害症候群にかかった犬にはいくつかの目立った変化が見られ、アルツハイマー病の場合と同様、それらは通常の老化現象とは異なっている。主な症状の頭文字を並べるとDISHとなる。これは、Disorientation（見当識障害）、Interaction changes（飼い主や他の動物に対する反応の低下）、Sleep changes（睡眠パターンの変化）、House soiling（室内や不適切な場所での排泄）の意味である。

見当識障害の兆候には次のようなものがある。

- よく知っている命令に反応しなくなる
- 自分の名前を呼ばれても反応しなくなる
- その家庭で習慣的に行なわれていることを忘れてしまう
- 宙や壁をぼんやり見つめている
- あてどなくうろついたり、行ったり来たりする。外に出すと自分の家の庭から出て、自分がどこにいるかわからなくなったり、混乱した様子を見せる
- テーブルの周りをぐるぐる回ったり、部屋から部屋へ行ったり来たりするなど、目的のない徘徊を繰

り返す

●慣れ親しんだ場所でも、自分がどこにいるかわからなかったり混乱した様子を見せ、部屋の隅、家具の下や後ろなどに入りこんだまま、どうやって出るかわからなくなることがある

●以前はおとなしかった犬が興奮しやすくなり、明らかな理由もなくよく吠えるようになる

他者に対する反応能力の低下には次のような症状がある。

●多くの場合、最初に気づく兆候は、可愛がられるのを喜ばなくなることで、撫《な》でられたり、愛情を注がれていても向こうに行ってしまう

●以前は社交的で人なつこかった犬が、注目を求めなくなる

●客や、家族でさえ迎えに出なくなる

睡眠パターンの変化には次のようなものが含まれる。

●日中の睡眠時間が長くなる

●夜、眠る時間が減り、暗闇の中でウロウロ歩き回る

認知障害症候群の症状は、トイレのしつけを忘れてしまったように見えることがある。

●外に出たいと合図で知らせなくなる

●室内でおもらしするようになる。外に行って戻ってきたばかりなのにおもらしすることもある

●外に出た理由を忘れてしまい、あてどなくウロウロ歩き回るだけで排泄しない

これらの症状が多ければ多いほど、その犬が、人間で言うアルツハイマー病に相当する、認知障害症候群である可能性が高い。

PART 6

私の犬が私に伝えたいその他のこと

犬は単なるおとなしいオオカミか？

　犬は単なる家畜化されたオオカミである、と考える人は多い。これは、犬の中にはオオカミにそっくりなものがいて、きちんと教育を受けた科学者でないかぎり見分けがつかない、という事実があるからだ。たとえばジャーマン・シェパード・ドッグとシンリンオオカミ、シベリアン・ハスキーとホッキョクオオカミがその例だ。もちろん、犬の中には（ダックスフントやセント・バーナードのように）オオカミとは似ても似つかぬものもいて、それがこの主張の弱いところだ。では科学者たちはどうやって、犬の祖先がオオカミだったと判断するのだろうか？

　この問いに答えるための科学的な手法はいろいろある。一つは、遺伝物質に注目することだ――具体的には、犬とオオカミのＤＮＡである。調べると、オオカミと人間に飼われている犬のＤＮＡは、平均九九パーセント近くが一致しているのだ。実際、犬種の違う犬同士のＤＮＡの違いの方が、古くからいる一部の犬種とオオカミのＤＮＡの違いよりも大きいことさえある。

　だが、こうした遺伝的な類似性から、犬とオオカミは同種の動物であり、違うのはただ、犬は人間と共存するために家畜化され飼いならされたという点だけである、と結論づける前に、考慮すべき点が他にもある。まず、犬もオオカミも、系統発生学的には同じ食肉目《もく》（ネコ目）であり、肉食獣である。こ

の目には他にも、ジャッカル、コヨーテ、ディンゴ、野生の犬、キツネその他、多くのイヌ科動物が含まれる。ここではいったんキツネのことは忘れよう――毛皮が白いホッキョクギツネや北アメリカ南西部に生息するクロギツネのように、犬の一族である可能性がある種類もいるものの、ほとんどの一般的なキツネ（たとえばアカギツネ）は染色体の数が違い、犬の一族とは考えられないからだ。これら野生のイヌ科動物のDNAを、一つひとつ、人間に飼われている犬のDNAと比較すると、犬と一致する範囲が同一であることがわかる。つまり、ジャッカルやディンゴのDNAと犬のDNAの類似性は、オオカミのDNAと犬のDNAの類似性と同等なのである。

DNAから得られる答えで十分でなければ、別の方法を使ってもいいだろう。二つの動物が同種であるかどうかを判断するために、昔から受け入れられてきた方法がもう一つある。それは、その二つの動物が交配できるかどうか、ということだ。二頭の試験動物が、異種交配によって、生きた、繁殖可能な子どもを作れれば、その二つが同種の動物であると認められるのが普通である。犬とオオカミが交配可能であることはよく知られている。事実、意図的にオオカミと犬の混血を作って、珍しいペットとして市場で販売する人もいる。また科学者は、人間に飼われている犬が、ジャッカル、コヨーテ、ディンゴ、アフリカン・ワイルドドッグ（リカオン）、それにホッキョクギツネやクロギツネとも交配できることを確かめている。

だが、生理学だけがすべてではないことも忘れてはならない。たとえば、犬とオオカミは行動様式が違うことを私たちは知っている。違いをほんのいくつかあげれば、オオカミは積極的に狩りをし、その能力があるのに対し、多くの犬種はその能力を失ってしまっている。オオカミはゆっくり歩き、犬は小走りに走る。犬はすぐ人間になつくが、オオカミはなつかない。犬を訓練して確実に人間の命令に従うようにすることはできるが、ごく稀な例外を除いてオオカミにはそれはできない。オオカミの群れでは、排尿するときに脚を上げるのは順位が一位の個体（通常「アルファ」と呼ばれる）だけで――アルファがメスの場合も、必ずというわけではないが、脚を上げる――、群れの他のメンバーはしゃがんで排尿する。

こうしたデータから、どんな結論が得られるのだろうか？　答えを見つけるためには、質問を言い換えた方がいいかもしれない。こういう聞き方をしてみよう――犬の祖先はどんな動物なのか？　最初に人間に飼われるようになり、その結果犬になった最初のイヌ科動物は、どうやらハイイロオオカミだったようである。ただし遺伝学的なデータによれば、最も単純かつ保守的な結論は、犬には現存する野生のイヌ科動物のさまざまな種《しゅ》の遺伝子が混じり合っているばかりか、いくつかの絶滅した種のものも混じっているらしい。それが本当なら、なぜ飼い犬の中には、ペキニーズとグレート・デーンほど異なる犬種ができるに十分なほどの遺伝的多様性があるのか、そのことを説明するのに大いに役立つ。

犬とオオカミはどちらが多いのか？

今、地球を支配しているのは人間だ。ある動物種が存続するためには、自分たちで繁殖できるだけでなく、人間と良好な関係を築き、またおそらくは人間の保護を受けることが必要である。その事実に照らせば、犬とオオカミはどちらが多いか、という質問の答えは明らかだろう。

オオカミがかつて、人間を除いて地球上で最も広範囲に分布する哺乳類であったとは想像しがたい。だがオオカミは、灼熱の砂漠から凍てついた北極圏のツンドラまで、これ以上ないほど苛酷な環境にも生息していたのだ。草原地帯にも、森にも、ジャングルにも、多数のオオカミがいた。ところが、オオカミと人間は同じ種類の食べ物――すなわち肉であるが――を奪い合っており、オオカミが人間の家畜をかっこうの標的としたため、人間はオオカミを駆逐し始めたのである。過去五〇〇年間に、人間はオオカミの数を大幅に減らしてしまった。イギリス諸島からオオカミがいなくなって四〇〇年以上経つし、西ヨーロッパの各地では、オオカミがまったくいないと言っていい状態が数百年続いている。これを書いている時点で、フランス、ドイツ、イタリアに生息するオオカミの数を合わせても、五〇〇頭にもならないと推定されているのだ。

人間によって生存を脅かされてきたことに加えて、典型的なオオカミの繁殖パターン自体がその数を低く抑えている。オオカミの群れでは、群れのリーダーとして支配するオスとメスだけが子どもを作るのが普通である。オオカミの発情期は年に一度だけで、メスは二歳か三歳になる前に子どもを産むことはめったになく、一度に産む子どもの数は平均四～六頭だ。オオカミの子どもの死亡率は通常五〇パーセントほどなので、つまり、平均的なオオカミの群れは、一年で二～三頭しか数が増えず、これは、一年間に死亡する群れのメンバーを埋め合わせるのに必要な増加率をわずかに上回るにすぎない。

その結末は避けようがない。世界中からすべてのオオカミ種を集めても、オオカミの数は四〇万頭ほどであるのに対し、犬は五億二五〇〇万頭いる。言い換えれば、世界中で、現在生きているオオカミ一頭に対し、一三〇〇頭を超える犬が存在していることになるのである。

世界には何頭の犬がいるのか？

世界中にいる犬の数を正確に知る、というのは、口で言うほど簡単なことではない。犬をペットとして家の中で飼わない国が多いからだ。場所によっては、誰に飼われているわけでもない犬が路上を自由に彷徨っているので、その数を数えるのは困難だし、正確ではない。少なくともペットの犬に限ってその数を把握しようとするこれまでで最も大々的な試みは、ペットフード業界の市場調査が目的だった。ペットフードは巨大市場で、アメリカだけで消費者は、ドッグフードに毎年四〇〇億ドルを費やす。世界の他の場所でこの市場に投資すると儲かるかどうかを調べるために、数々の調査団が雇われて、対象国のペット犬の全数調査が行なわれているのである。調査の結果は、完全とは言えないものの、興味深いものだ。

これを書いている時点で、アメリカでは四二五〇万の家庭が一頭かそれ以上の犬を飼っており、アメリカ国内で飼われている犬の総数は七三〇〇万頭を超える。北のお隣さん、カナダでは、その数は約六〇〇万頭だ。

西ヨーロッパには約四三〇〇万頭のペット犬がいる。この地域でペット犬の数が最も多いのはフランスの八八〇〇万頭で、イタリアとポーランドはどちらも約七五〇〇万頭、そしてイギリスの六八〇〇万頭と続く。東ヨーロッパでは、ロシアが一二〇〇万頭、ウクライナには約五一〇万頭いる。

南アメリカのデータはところどころしかなく、見つけることができた数字はブラジルの三〇〇〇万頭、アルゼンチンの六五〇万頭、そしてコロンビアの五〇〇万頭のみである。またこの地域は、特に大都市の外では、登録されておらず、数に数えられていない犬も多数いる。オーストラリアも同様で、記録にあるペット犬は四〇〇万頭だが、住民の少ない地域には、おそらくその半数におよぶ野良犬や野生化した犬がいる可能性がある。

アジアの数字もあまり信頼できるものではない。中国では犬を飼っても登録の義務がないが、飼われている犬の数は一億一一〇〇万頭と推定されている。ペット犬の登録が規則となっている大都市でさえ、飼い主の多くは飼い犬に認可を受けることを拒むが、いくつかの推定によれば、首都である北京だけで犬の数は一〇〇万を超えると言われている。インドにも同様の問題があり、犬の多くは野良犬で飼い主がおらず、したがって数えることができない。インドについての最善の推定数は、飼われている犬が約三二〇〇万頭、野良犬が二〇〇〇万頭にのぼるというものだ。それとは対照的に、日本人は飼い犬の登録については非常に真面目で、日本で登録された飼い犬の数は九五〇万頭である。

犬の数に関する統計データが最も手に入りにくいのは、おそらくアフリカだろう。南アフリカ共和国には、国内のペット犬の数を九〇〇万頭とするデータがあるが、アフリカ大陸のその他の地域の情報は非常に少ない。狂犬病が人間に及ぼす被害を監視するためにアフリカ大陸の犬の数を把握しようとしている世界保健機関（ＷＨＯ）の推定では、アフリカで飼われている犬の数は約七八〇〇万頭だが、同時に野良犬の数も七〇〇〇万頭を超えるかもしれないという。

大ざっぱではあるが、これらの数字を合計すると、地球上には少なくとも五億二五〇〇万頭の犬がいるというのが最も有力な推定だ。この数字はじつに、アメリカ、カナダ、イギリス、ドイツ、イタリア、そしてフランスの人口の合計に相当する。

なぜ世界にはこれほどたくさんの犬がいるのか？

チャールズ・ダーウィンの適者生存論は、最も大きくて強い種だけが生き残る、という意味ではない。彼が言わんとしたのは、子孫を作り、その子孫が生き残って子孫を作ることに最も成功した種が生き存《ながら》える、ということだ。ある動物種が生存に成功しているかどうかの尺度は、どれだけの個体が生存し、生殖活動を行なっているかである、と彼は言う。そして成功するためには、それぞれの個体がその環境に「適合」しなければならないのである。

犬が暮らす環境は、人間が暮らす環境と同じである。だから、この世界で人間が暮らす場所に適合するほど、犬は種としての存続に成功することになる。そして犬は見事にそれを果たしたのである。犬は私たち人間の生活に非常によく適合したため、私たちは犬に食べ物を与え、大切にし、彼らの健康と医療に十分に気を配る。そのため犬は長生きし、多くの犬は子どもを作る機会もある。さらに、犬には天敵もいない（ただし、犬が自由に走り回るのが許される地域では、車やトラックがその代役を演じることもあるが）。

いかに子孫を作り、繁殖しているかが成功の基準なのだから、犬を飼いならしたことの副産物として、その繁殖パターンを私たちが大きく変化させたというのは興味深い事実だ。オオカミなどの野生イヌ科動物の間では、メスは一年に一度しか発情期（排卵して妊娠可能な状態）を迎えない。一方、バセンジーなど、比較的原始的ないくつかの犬種を除いて、犬は年に二回の発情期があり、野生の親戚たちの二倍の子孫を作ることができるのである。

これで、なぜ犬の数がこれほど多いかを説明する準備が整った。まず、メス犬は（犬種によって）生後五か月から一八か月で初めての子どもを産むことができる。そして五八～六五日で子犬が生まれる。一度に生まれる子犬の数は犬種や犬の大きさによっていろいろだが、全体的な平均数は六頭から一〇頭だ。ほとんどのメス犬は年に二回子どもを産むことができる。その半数がメスだとすると、それらがやはり生後五か月から一八か月で子どもを産めるようになる。計算すればおわかりだろう――一頭のメス犬とその子犬から、七年間で四三七二頭の犬が生まれる可能性があるのである！　オス犬には、年に二回という上限すらない――発情期のメス犬さえいれば、いつでも父親になれるのだから。

このことの不都合な点は、犬は種の存続にあまりにも成功しすぎていて、ある場所では増えすぎで困っているということだ。過剰増加の問題の大きさは、ほとんどの人が理解していない。たとえばアメリカでは、毎年四〇〇万頭から六〇〇万頭の犬が安楽死させられる――もらい手がなく、アニマルシェルターにも場所がないからだ。つまり事実上、人間が、犬の数を抑制する自然淘汰の手先となったのである。

ハウンド(猟犬)とはどんな犬?

ハウンドというのは、私たちが知る中で最も古い犬種群の一つである。そして「ハウンド〔訳注:houndは英語で「追跡する」の意〕」という名前そのものが、この種類の犬の機能を物語っている。ハウンド犬は、嗅覚または視覚、あるいはその両方を使って、獲物を追うために飼われてきたのである。こうした犬がいかに古い種であるかは、古代エジプトやアッシリアのピラミッドや宮殿の壁に、狩りをするハウンド犬が描かれているという事実が示している。

どちらの感覚が優位であるかによって、ハウンド犬は「嗅覚ハウンド」と「視覚ハウンド」の二種類に分けられる。

「嗅覚ハウンド」の主な仕事は、嗅覚を使って獲物を見つけ、その足跡をたどることだ。「視覚ハウンド」の役割は、目で獲物を見つけ、走って追いつめることである。

視覚ハウンドは、並外れた視力と、いったん見つけて狙いを定めた獲物を追いかけて捕まえるのに必要な速度とスタミナを持つように交配された、特殊な犬だ。だから視覚ハウンドはすべての犬種の中で最も足の速い犬種であり、グレーハウンド、サルーキ、アフガン・ハウンドなどが含まれる。ど

れも北アフリカと中近東を原産とする古い犬種で、俊足のアンテロープやガゼルの狩猟に使われた犬である。

嗅覚ハウンドは、その鋭敏な嗅覚を使って獲物の匂いを追うことを専門とする。これらの犬にとって、スピードや視力はさほど重要ではない。どんな犬も嗅覚に優れてはいるが、嗅覚ハウンドの中には、そのために特に交配され、驚異的な嗅覚を持つものがいる。ハウンド犬、そしてあらゆる犬種の中で最も鋭い嗅覚を持っているのはブラッドハウンドだ。ハウンド犬の中で一番小さい犬種の一つ、ビーグルも、より大型の、したがってもっと鼻が大きい犬種よりも、はるかに鋭敏な嗅覚を持っている。空港で、輸出入が禁じられている食べ物や農産物を嗅ぎ分けたり、シロアリ、トコジラミ、そして、人間の住居やさまざまな建物に入りこみかねない有毒なカビ類を検出するのに、ビーグル犬が好んで使われる理由である。

ハウンド犬は、火器の発達どころか弓矢が発明されるはるか以前に発達したので、人間の手助けなしに、ほぼ自分の力で獲物を仕留めるよう仕込まれた。獲物が小さければ、狩りをする人間はただ、ハウンド犬に追いついて、殺した獲物をハウンド犬が食べてしまう前に回収しさえすればよかった。獲物が大きいときは、槍、棍棒、斧などを持った人間が到着して殺すまで、獲物を追いつめて動けなくしておくのが仕事だった。そういう理由で、ハウンド犬は比較的独立した犬だ。ハウンド犬の多くは優しくて穏やかな気質をしているが、特に人間を気にかけるわけではない。レトリーバー、牧畜犬、使役犬などの犬種のように、人間が興味の中心にあるわけではないので、しつけをするのが最も難しい犬種がハウンド犬であるとしても驚くにはあたらないだろう。使役服従知能（つまり言い換えれば、犬のしつけやすさ）にもとづいて犬を順位づけした研究では、最下位の一〇犬種のうち六犬種がハウンド犬である。これは、ハウンド犬は頭が悪いということではなく、彼らが特に、主人である人間の指導や人間に対する服従を必要とせず、単独で仕事をするように育てられた犬であるということを意味しているのだ。

一番重い犬・軽い犬・のっぽの犬・ちびな犬はどれ？

もしも異星人の生物学者が地球に降り立ち、動物の分類を始めたとしたら、ニューファンドランドとダックスフントとチワワを同じ動物種にはしないのではないかと思う。犬の形と大きさの多様さは驚異的だ。犬は、哺乳類の中で最も大きさのばらつきが大きいという証拠もある。たとえば、過去一五〇年間に記録された最も重たくて体長が長い犬は、クロエという名のチベタン・マスティフで、体重が一六五キロ、鼻の先から尻尾の付け根まで二六〇センチあった。この犬を、イギリス、ブラックバーンに住むアーサー・マープルの飼い犬、ヨークシャー・テリアのシルビアと比べてみよう。シルビアは、記録に残る最小の犬とされている。二歳までしか生きなかったが、死んだときのシルビアの肩までの体高はわずか六・五センチ、鼻先から尻尾の付け根までは九・五センチしかなかった。台所用のマッチ箱と同じくらいの大きさだ。シルビアの体重は一一〇グラム弱で、クォーターパウンダーのハンバーガーのパンなしと同じくらいだった。

一般に、現在（オスの平均体重で考えて）最も体重の重い犬種はイングリッシュ・マスティフで、平均体重が八〇～一〇〇キロある。イングリッシュ・マスティフは、じつは古代の軍用犬だったモロシア

ン犬を小さくしたもので、モロシアン犬は体重が一二〇キロに達することもあった。

平均して最も背が高いのはアイリッシュ・ウルフハウンドで、肩までの体高が八四センチある。ただし、近年記録された最も背が高い犬はギブソンという名のグレート・デーンで、体高が一〇七センチあり、後ろ脚で立つと二一〇センチ近かった。

平均して最も背が低くて小さい犬はチワワで、肩までの体高は二〇センチしかなく、体重はわずか二・七キロだ。ヨークシャー・テリアも似たような身長と体重のものが多いが、中にはそれよりもかなり大きいものがいるので、犬種内の平均値はもっと高くなっている。

科学者たちは、飼い犬のサイズがこれほど多様な理由をつきとめようとしてきた。最近行なわれたある研究では、ポーチュギーズ・ウォーター・ドッグのDNAが注目された。この犬種が選ばれたのは、体高が四一センチから五〇センチまでと幅広いからだ。調査の結果、個体の大きさはある一つの遺伝子によって決まることがわかった。インスリン様成長因子1（IGF1）をコードする遺伝子である。任意のポーチュギーズ・ウォーター・ドッグの個体の大きさは、その犬が持っているIGF1のバリエーションによって予測できた。研究者はさらに研究対象を三二〇〇頭に拡大した。驚いたことにそれらの遺伝子サンプルは、製菓会社マースが所有するデータベースから得たものだった。マースはペットフードも製造しており、犬のDNAでは世界最大の遺伝子バンクを持っているのだ。そしてこの分析結果は、犬のサイズの違いが、IGF1のバリエーションによって決まることを裏づけたのである。

犬は世界最速の陸上動物か？

世界最速の動物が何であるかを決めるには、どんな種類の競走をさせたらよいかを考慮しなくてはならない。水平飛行の空中レースをさせるなら、優勝は時速一七一キロ出せるアマツバメだ。ハヤブサはそれよりは遅くて、獲物を追っているときは時速一一二キロだが、頭から急降下するときは時速三八九キロという驚くべきスピードに到達する。逃げるアマツバメを優に捕まえられる速さだ。水中の競走なら、バショウカジキが圧勝だ。流線型の体のおかげで、時速一〇九キロを出す。メカジキは時速約九七キロ出る。

だが、陸上でのスピードということになると、最も重要なのは走る距離である。人間の陸上競技と同様に、一番速いタイムが出るのは短距離競走だ。長距離競走の選手は、短距離で出るスピードを保つことはできない。単純に、到達し得る最高速度だけを比べれば、ほとんどの人がすでに知っている通り、地上最速の動物はチーターで時速一一三キロを出せる。チーターは驚くほどの俊足ランナーではあるが、その驚異的なスピードを保てるのはほんの二七〇メートルほどの距離にすぎない。このスピードで獲物に追いつけるのは近距離の場合だけなので、チーターは追跡を始める前に、こっそり、忍び足でガゼル

に近づき、不意をつく必要がある。

一番俊足の馬もやはり短距離走者である。通常、四分の一マイル（約四〇〇メートル）の競走に使われることから「クォーターホース」と呼ばれる馬だ。その距離では時速七六キロに達するが、八〇〇メートルも走れば体力を使いきってしまう。長距離を走る場合、馬のスピードはこの最高値よりもかなり遅い。セクレタリアトという名のサラブレッドの競走馬が一九七三年にケンタッキーダービーで最高速度を記録したときのスピードは、時速六一キロで二・四キロの距離を走ったというものだった。

人間は犬を変化させ、犬種によっては他のほとんどの動物よりも速く走ることができるようになった。本当に速いのは、グレーハウンド、ホイッペット、サルーキ、それにアフガン・ハウンドで、これらは「視覚ハウンド」と呼ばれる。獲物を目で見つけて追いつめるのが役割だからだ。こうした犬種は、酸素を思いきり吸いこむ肺と特大の心臓を入れるために胸部が非常に大きく、さらに腰が細い——体を大きく曲げて、一歩ごとに体長より長い距離を進むためである。

この中でも最も速いのはグレーハウンドだ。長時間、高速で走れるようにデザインされた犬である。全速力で走ると、グレーハウンドの心拍数は三〇〇～三六〇に達する。つまり、競走中のグレーハウンドの心臓は、一秒間に五回の割合で収縮し、再び血液で満たされて、筋肉が必要とする酸素を驚異的な速さで運ぶのだ。グレーハウンドがあっという間に最高速度に達する様子はじつに素晴らしい。最大加速時には、グレーハウンドはスタートからわずか六歩で最高速度に達する。（チーターを除き）他のどんな陸生動物にもこれほどの加速能力はない。

グレーハウンドがどれほど速い短距離走者であるかがわかりやすいように、人間の一流ランナーと比較してみよう。アサファ・パウエルが一〇〇メートル走で世界記録を出したときの速度は時速三六・九キロで、一〇〇メートルの距離を九・七七秒で走った。グレーハウンドなら同じ距離を五・三三秒で走るはずだ。

それだけではなく、グレーハウンドは長距離走者でもある。グレーハウンドは、時速五六キロを超える速度で安定し、そのスピードのまま一一キロほども走れるのである。したがって、短距離走ではチーターが勝つかもしれないが、長距離走になれば、チーターはグレーハウンドに大きく引き離されて青息吐息となるのである。

マラソンを超える長距離レースとなると、犬はさらに優秀だ。ただし、それには違ったタイプの犬が必要になる。そり犬、中でもシベリアン・ハスキーを見てみよう。アイディタロッドを走る犬たちだ。アラスカで行なわれるこの犬ぞりレースは、アンカレジのはずれからノームまで、一八六八キロに及ぶ距離を走破する。レースに参加するそり犬のチームは、重さ一〇〇キロ以上あるそりを引いて、一日最大二〇〇キロ、一度に六時間の走行を、九日から一四日間続けるのである。しかも、体感温度マイナス七三度に達することもある極限の天候の中を、全速力で走るのだ。アイディタロッドのこれまでの最高記録は、八日と二二時間である。そり犬の平均走行速度は時速一六～一九キロだから、一度の六時間走行で約一一二キロを走ることになる。そり犬たちは、平均すると一一日間、それを続けるのである！他のどんな陸上動物も、これほどのペースを保てるとは考えがたい。

犬は汗をかくか?

人間は、暑いところにいたり、運動や仕事に励んだりして体温が上がると汗をかく。人間が汗をかけば、それはすぐにわかる。人によって多少の差はあるが、誰でも汗はかく。脇の下や額にしか汗が見えない人もいれば、体中に汗をかく人もいる。

汗をかくのは、私たちが体温を調節する方法の一つである。人間の汗腺は、体表のほぼ全体に分布している。内部温度が不健康なレベルまで上昇すると、汗が肌の上をなめらかな水分の膜で覆い、それが蒸発を始める。蒸発する水分には冷却効果があるので、つまりこうやって汗は、私たちを薄くて冷たい膜で覆うことで体温を下げてくれるのである。

犬の皮膚はこれとは非常に異なっていて、あなたが一度も、脇の下に汗をかいた犬を見たことがないのはそのせいだ。犬の汗腺はほとんどが足の肉球の周辺にある。だから、犬の体温が上がりすぎると、床の上に濡れた足跡を残すことがあるのだ。

汗をかく代わりに犬が体温を下げるのに使う主な仕組みは、口を開けてパンティングすることだ。それによって舌の上の水分が蒸発し、また荒々しく息をすることによって、肺の表面の湿った粘膜からも水分が蒸発する。こうやって犬は、体温をかなり低くすることができるのだ。

体温を下げるのに犬が使うそれとは別の仕組みが、顔と耳の血管を拡張させることだ。外気の気温が高すぎない限り、こうすることで血液が皮膚の表面近くを流れるようになり、犬の血液を冷やすのに役立つのである。この仕組みは、体温が上がりすぎた理由が、外が暑いからではなく運動した結果である場合に最も効果がある。

犬が暑さに弱いもう一つの理由は体が毛皮に覆われていることで、そのせいで夏になると体が熱くなるのだとお考えかもしれない。だがこれは部分的にしか当たっていない。なぜならじつは毛皮は、外の環境と体の内部を隔てるバリアとして機能する断熱材だからだ。犬の毛皮は、保温ボトルの空気断熱層のように機能する——冬は体温を守り、寒さを寄せつけないバリアの役割を果たし、夏には外の暑さを遮断するのである。ただし残念ながら、暑さがずっと続く環境で体温がいったん上がりすぎてしまうと、毛皮は冷却の邪魔になる。毛皮を通して熱を放散させるのは難しいからだ。

暑い日に、特に運動量が多いと、犬はオーバーヒートすることがある。「異常高熱」と呼ばれる状態である。異常高熱が熱射病を引き起こすこともある。オーバーヒートした犬は、動きが鈍く、混乱しているように見える。歯茎と舌を見ると鮮やかな赤色で、おそらくは激しくパンティングしているだろう。手当てをしないでいると、犬は、倒れたり、痙攣を起こしたり、昏睡状態に陥ることすらある。

犬を飼っている人の多くが、暑い日に飼い犬の体を冷やすために使う簡単な方法がある。観葉植物に使うような、スプレーボトルか霧吹きを使うのである。水を入れて、ときどき犬の体にスプレーするだけでいい。つまり、犬の体を覆う水分の膜を作ってやるのだ。水分は蒸発して、体中に汗腺があるのと同じような冷却効果が発揮されるというわけである。

なぜ犬は、仰向けに寝ることがあるのか？

犬を飼っている人ならたいていは、自分の犬が仰向けで寝るのを見たことがあるだろう。それを覚えているのは、この姿勢がいかにも不安定で不自然で、笑いを誘うことが多いからなのだが、犬がこの姿勢をとるのは体温調節のためである。

犬は——長毛種やダブルコートの犬種は特に——体温の温存が非常にうまい。アラスカン・マラミュート、サモエド、シベリアン・ハスキーといった北方の犬種が、極寒の北極圏の雪の中、外で寝ても平気なのはそのためである。むしろ犬にとって問題なのは、体温が高くなりすぎたときにどうやって体から熱を散らすかということなのだ。犬が汗をかくのは足の肉球だけなので、それ以外では、パンティングをして舌から水分を蒸発させることで体を冷やすのが、体温が高くなったときにする唯一の反応だ。だがパンティングというのは能動的な動作であって、眠るために必要なリラックスした状態とは逆である。

そこで犬にはもう一つ、体内の温度を下げるための方法がある。犬のお腹側は毛の密度がずっと低く、ほとんど生えていないことも多い。つまり、仰向けに寝ることで犬は、体のうちの保温効果が最も低い部分を空気にさらし、それによって体温をより逃がしやすくするのである。これは体温が高くなりすぎ

ないようにするには効果的な方法だ。

犬はまた、暑い日に内部体温を下げるために周りの環境をちゃっかり利用する。日陰を探すことはもちろん役に立つ。扇風機の風があたる場所に寝転ぶ犬もいる。床がセラミックタイルの部屋があれば、ここでも犬は、お腹の毛が薄いことを利用するかもしれない。ただしその場合は、仰向けではなく、お腹を冷たい床にくっつけ、手脚を広げて寝そべる。これまた笑いを誘うポーズだ――まるでビーバーやカワウソの皮を乾かすために広げたように見えるのだから。

子犬は別の理由で仰向けに寝ることがある。完全に動けるようになってから生後三～四か月までの間、子犬の動き方はまるでねじ巻き式のおもちゃのようだ。全速力で走っていったかと思うと、突然、ねじ巻き式のおもちゃのように止まる。そして止まるときには、ぐらついたり、よろめいたり、まるで木が伐られたように倒れこんだりする。つまり子犬の場合は必ずしも、好んで仰向けに寝ているわけではないのだ――子犬は、エネルギーが切れたときにたまたまとっていた姿勢と場所でそのまま眠ってしまうのである。

犬にはなぜ狼爪《ろうそう》があるのか？

狼爪というのは、犬の足の、地面につかない側にある短い爪のことだ。ほとんどの犬種は狼爪があるのは前脚だけで、後ろ脚にあることはめったにない。だが、グレート・ピレニーズやブリアードなど、後ろ脚にも狼爪があるのが普通である犬種もいくつかある。グレート・ピレニーズには狼爪が二つある――「多指症《たししょう》」といって、遺伝的な特徴であり、細い指が一本ではなくて二本あるのだ。

狼爪は、ほとんどの犬種ではなんの機能も持たないが、はるか昔、犬がどのように進化したかを示す興味深い証拠である。約四〇〇〇万年前、猫のような風貌で木に登るミアキスという動物がいた。木に登るには指が五本あった方が有利であることは明らかだ。だがミアキスはやがて進化して、キノディクティスという地上性の動物になった。それ以降、やがて私たちが知っている犬に進化する後続の動物たちは代々、群れを作って狩りをするのが専門になっていった。動くのが速い獲物を捕らえるために、スピードが重要な要素になった。今日の犬は「走行性の」動物である。つまり、進化の過程で犬は走るのが速くなったのだ。そしてスピードが増すためには、犬の生理も変化しなくてはならなかった。

人間やクマなどの動物は「蹠行《しょこう》動物」、つまり、足の裏全体を地面につけ、踵から爪先へ回転するように動かして進む。この歩き方はバランスが良く、安定するが、比較的時間がかかる。一方、進化のプ

ロセスで犬の脚は前に大きくふれるようになり、踵はもはや地面につくことはなくなった。そして犬は「趾行動物《しこう》」、つまり、指先で歩く動物になったのである。より長く、強くなった前脚とともに、この歩き方をすることによって犬のスピードが増した。人間は物を操作することに依存しているので、犬の狼爪になった器官が親指になった。犬の場合、地面につく指は四本で、狼爪は単に、進化の過程で退化した器官の痕跡にすぎない。

こうした肉体的な変化の結果、犬の足の裏が地面につくことはなくなり、狼爪は短すぎて機能的にはなんの価値もない。さらに進化は、動物の走行速度を上げるための秘策を用意していた。それは、動物の体の構造を変化させて爪先で歩くようにしたことで、多くの場合、爪先は蹄に発達した。それが、シカやウマの蹄である。犬は今でも、少しばかりではあるが足先を使って物を操作するので、蹄があっても犬に有利なことはないし、家で飼っている犬に木の床をめちゃめちゃにされたくない私たちにとっても犬の蹄はない方が好都合だ。

前脚の場合も後ろ脚の場合も、狼爪は犬の飼い主にとって少々悩みの種である——走っている間に爪が何かに引っかかって、剝がれたり、怪我の原因になるのが心配なのだ。だが狼爪の中には、脚にぴったりくっついていて、定期的にトリミングすれば何かに引っかかる可能性は低いものがある。一方、脚から離れてだらりとしている狼爪もあって、明らかに危険だ——木や木の根、その他危険物が多い戸外を走り回るのが好きな犬はなおさらである。そのためブリーダーの中には、子犬がもらわれていく前に狼爪を取り除く者もいるが、大多数の犬は狼爪がそのまま残っている。

一部の人に飼い犬の狼爪を取り除くのを躊躇させる、面白い言い伝えがある。アメリカ南部の人の多くが、後ろ脚に狼爪を持って生まれてきた（比較的稀な）犬には、狼爪がそのまま残っているかぎり、ヘビの毒に対する生まれつきの免疫があると信じているのだ。一度、サウスカロライナ州にいたとき、一人の老人がお気に入りの猟犬を私のところに連れてきて、後ろ脚の狼爪を見せてくれたことがある。彼は私にこう言った――「こいつは一度ならずヘビに咬まれたことがあるが、まだ生きてますよ――狼爪が毒を吸い取ったからね」

犬が人間の傷口を舐《な》めると、傷は早く治るか？

人間をはじめ、多くの動物は、怪我をすると本能的に傷口を舐める。犬、猫、齧歯動物、それに霊長目の動物はみな自分の傷を舐めるし、犬はよく、飼われている家の家族やその他の人間の傷口や、皮膚から血が出ているところを舐める。動物の唾液、中でも犬の唾液に人間の傷を治す力がある、というのはよくある民間信仰だ。この信仰を裏づけているのは、昔からある数々の伝統である。たとえば古代エジプトでは、ハルダイという街がキノポリス（「犬の街」の意）という名で知られるようになったが、これは、犬の頭を持ち、死者を導くアヌビス神を祀る数多くの宮殿において、犬が生け贄として使われていたためである。だがまた同時に、犬はそうした宮殿内で、癒しの道具としても使われていた。なぜなら人びとは、犬に舐められると――舐められるのが、おできができたり炎症を起こしたりしている部位であったりすると特に――傷が治ったり、その原因となっている病気が治る、と強く信じていたからだ。この習慣はギリシャ人に受け継がれ、ギリシャの医術の神であるアスクレーピオスを祀った宮殿にはよく、傷を舐めるように訓練された犬が飼われていた。中世には、聖ロクスの体中にできたおできを彼の犬が舐めて治したと言われた。今も多くの文化で、犬に舐められると怪我や病気が治ると信じられており、現代フランス語

にはそれを意味するこんな言葉がある――"Langue de chien, langue de médecin"。訳せば、「犬の舌は医者の舌」という意味だ。

単純にその物理的な動きだけをとってみても、犬の舌は傷の手当てに役立つことがある。唾液を含んだ舌が、傷の表面についているかもしれない残骸物を浮かせる。そして、汚れや残骸物は唾液の水分に吸着する。だから少なくとも傷の周りはきれいになるわけだ。

だが、数々の科学的な研究の対象となってきたのは、犬の唾液に見られる、さまざまな、抗菌性がある有益な化合物である。昔から、唾液には傷を癒す力があるのではないかと言われてきた――なぜなら、口の中にできた炎症は、皮膚にできたものよりも早く治り、跡も残りにくいからだ。アムステルダム大学のメンノ・オウトホフは、唾液の中に含まれる、「ヒスタチン」という単純なタンパク質を発見した。ヒスタチンは、感染症を防ぐ力があることで知られている。また、ヒスタチンの一部は、皮膚表面（「上皮組織」と呼ぶ）の細胞が傷をより早く覆うように促す。オウトホフは、「傷が癒えるためにはまず、上皮細胞の上への移動が始まらなくてはならない」ことに気づいたのだ。

聖バーソロミュー病院・王立医科歯科大学のナイジェル・ベンジャミンは、人間が傷口を舐めるのは、動物がそうするのと同じように有益であると主張する。彼の研究によれば、唾液が皮膚に触れると、唾液の天然成分である亜硝酸塩が分解されて、切り傷や擦り傷を細菌による感染から防ぐ効果を持つ化学物質である一酸化窒素になる。さらに、フロリダ州ゲインズビルにあるフロリダ大学の研究者らは、唾液に含まれる「神経成長因子」（ＮＧＦ）というタンパク質を発見した。ＮＧＦを浴びせた傷は、浴びせなかった（つまり舐めなかった）傷の二倍の速さで治癒したのである。

こうした証拠もあるとは言え、傷を舐めることに関するデータはポジティブなものばかりではない。哺乳動物の口の中にはまた、パスツレラ菌など、若干の嫌気性細菌も棲んでいる。口の中にいるときは無害だが、パスツレラ菌は開いた傷口から皮膚内に深く入れば重篤な感染症の原因にもなる。そういう事例は数多く報告されており、中には非常にひどい結果を招き、感染症のために四肢を切断しなくてはならなかったり、ときには死に至った例もある。

これらの研究結果で興味深い点の一つは、有益な化学物質が、犬の唾液に限らず人間の唾液にも含まれているということだ。だから、厄介なことになる可能性を無視してでも傷を舐めることによる癒しの恩恵を被りたければ、ラッシーやファイド〔訳注：アメリカでよく使われる犬の名前〕の助けを借りる必要はないだろう。自分で舐めればいいのである。ただし、だからと言って誰彼かまわずあなたの舌の癒しのパワーを提供すべきだということではない。オレゴン州のある教師が、陸上チームの選手の膝と、アメリカンフットボールの選手の腕と、高校生の手の傷を舐めて懲戒処分になったことをご存じだろうか。オレゴン州の公衆衛生局職員はこう言った――「動物が自分の傷を舐めることは知っていますし、唾液には傷を癒す性質があるかもしれませんが、舐めるのは自分の傷だけにしておくことを強く勧めます」

犬はなぜ骨が好きなのか？

犬が生の骨にかぶりつくのを見たことがある人なら誰しも、犬がとてつもなく幸せそうだということに気づくのではないだろうか。肉がほんの少ししかついていなくて、そのわずかにこびりついていた肉がすぐになくなってしまったあとも、犬は骨を齧るのをやめず、歯をごしごしとこすりつけ、臼歯で咬めるほど奥まで骨をくわえられたときには咬み砕いたりもする。最後には、犬は骨をほとんど食べてしまうのだが、科学的に不可解なのはそこなのだ。犬をはじめとする肉食動物が、一見したところ栄養がないように見える食べ物をそれほどに求め、それを食べるために何時間もかけてバラバラにし、咬み砕くのは、いったいなぜなのだろう？

奇妙なことではあるが、いったい何が起きているのか、その最初のヒントは人間の食生活に関する研究にある。ミシガン大学のジョン・D・スペスはニューメキシコ州の数か所で、一四五〇年頃に殺されたバイソンの骨を発掘していた。不思議なことにこうした場所では、大昔の狩人たちはメスのバイソンの死体は置き去りにし、オスの死体は運べるだけ持ち帰っていた。メスのバイソンの何がいけなかったのだろう？

その問いに答える手掛かりは季節にある。わかっているかぎり、有史以前のほとんどのバイソン狩り

は秋と冬に行なわれたのに対し、ニューメキシコで発見されたバイソンが殺されたのは春だった。春にメスのバイソンを食べても、脂肪、いや、脂肪の欠乏のせいで美味しくないのだ。妊娠中、あるいは授乳中の雌ウシは、春にはひどいストレスを感じていることが多い——ほとんど完全に成長した胎児を抱えていたり、授乳中だったりしながら、しかも食料にするのに十分な草が生えるのはまだまだ先のことなのだ。だから雌ウシは、自分の体内に蓄えられていた脂肪を使って生き延びるよりほかはなく、体からは脂肪がなくなってしまうのである。

これと似た脂肪の欠乏は、寒い季節や乾季に動物が飢餓状態に近くなっても起きる。そういうとき、動物の体脂肪は体重のほんの数パーセントにまで落ちこむ（一番赤身の牛肉と比べてもずっと少ない）。ほとんど完全にタンパク質のみからなる食事は、じつは十分な栄養を摂るにはカロリーが低すぎて、特有の急性栄養失調を引き起こすことさえある、と聞いたら、驚く人は多いだろう。どうやら昔の狩人たちがメスのバイソンの肉を食べなかったのは、脂肪含有率が低いためだったらしい。

脂肪分を含まない高タンパク質の食事がどれほど不適切なものであるかは、一八五七年の冬にワイオミング州で起きたある歴史的な事件を見ればわかる。ランドルフ・マーシーという将校率いる中隊は、食糧が尽き、十分な食糧補給のためにはニューメキシコ州サンタフェまで行軍しなければならなかった。彼らは荷物運搬用の動物たちを食べて命をつないだが、残念ながらそうした肉は質が悪く、隊員たちは危うく命を落とすところだった。

マーシーはこう報告している——「ウマも、子ウマも、ラバも試した。どれも餓死寸前で、もちろんやわらかくもなければ水分もなく、栄養もなかった。我々は毎日、一人三キロ近い大量の肉を食べたにもかかわらず、日に日に弱り、痩せていき、一二日経った頃にはほとんど肉体労働をこなすことができず、絶えず脂ののった肉を渇望した」

そこで、肉食動物の進化における骨の重要性の話になる。中緯度地方では夏と冬、熱帯地方では雨季と乾季を行き来する季節の変化は、食肉動物の獲物となる動物が食べる植物の供給に影響する。食べ物がない厳しい状況に置かれた動物にとって、最後の脂肪の供給源が骨なのである。中でも特に骨髄は脂肪が豊富で、組成物の半分以上が脂肪だ。さらに、骨自体を作っているカルシウムには「骨脂《こっし》」というものが結合していて、濃度は高くないし消化も良くはないが、それでも大きな脂肪源である。

仮にあなたが捕食動物だったとして、なんらかの理由で一年のうちのある時期は獲物の状態が悪いとしたら、手に入る肉の価値は、一緒に脂肪を摂ることができれば大いに上がる。いわば脂肪が栄養価を増幅させるのだ。したがって、肉食動物が獲物の骨髄を食べられるかどうか、また彼らが懸命に骨を粉々にして骨脂ごと骨の大半を食べようとするかどうか、それが生死の境目になるかもしれないのである。

たとえばハイエナのように、肉食動物の中には骨を砕くことに特化した歯を持つものもいる。そういう歯を持たない飼い犬は、その分一生懸命にならなければならないが、犬は顎が非常に強くて、小型犬でさえ一平方インチ〔訳注：約六・五平方センチ〕あたり一〇〇キロを超える咬合力を発揮する。どんなに大きな骨でも少しずつ破壊できる力だ。

一番重要なことは、進化の過程で、犬がこの脂肪の供給源を獲得したいという欲求を失わなかったことだ。進化という過程は、個体や種全体の生き残りに必要な行動を（食べることやセックスのように）

快感をともなうものにする、という秘策を使う。だから骨を齧るのは、犬にとっては非常な満足感を得られる行為なのだ。

ひとつ注意すべきことがある。あなたの犬に骨を与えたければ、必ず生の骨にすること。調理をすると骨脂が流れ出してしまうし、骨髄の中の脂肪も溶けてしまうことが多い。さらに、調理した骨は非常にもろく、鋭利な骨のかけらを食べて犬が怪我しかねないからだ。

犬を飼うとより健康になれるか？

最新の医学研究のトレンドの一つは、人とペットの関係、そしてその関係が飼い主の健康にどんな影響を与えるかに焦点を当てている。あなたの犬は、あなたの健康を損ないかねないストレス反応を抑える役に立つのである。人間と動物の絆と、それが人間の精神面の健康に与える影響の重要性について、医学的に認められたのはつい最近のことだ。

心臓の問題と心理的なストレスを関連づけた研究は見事だ。たとえば、最近『International Journal of Epidemiology（国際疫学ジャーナル）』誌に掲載された研究は、八年間におよぶ検証を行なったものだ。調査は、ロンドンのホワイトホール地区で、非常に巨大な被験群（二〇の政府機関に勤める全公務員の七三パーセント）を対象に行なわれた。配偶者間やその他の家族問題、仕事にまつわる問題、経済的な不安など、さまざまなストレス要因が考察された。ストレスによる悪影響は、予想を上回っていた。心理的なストレスを感じている男性は、冠動脈性心疾患を患う確率が八三パーセントも高く、心理的ストレスを感じているグループの女性の場合、心臓疾患の増加率は五一パーセントだったが、それでも恐ろしい数字だ。

それとは別に、四〇～七九歳の七万三〇〇〇人を対象として日本で行なわれた大規模な調査が、先頃、科学ジャーナル『Circulation』誌で発表された。それによると、日常的にストレスを感じている人は、心臓発作や心臓疾患で死ぬ確率がより高かった。調査からわかったことで最も重要なのはおそらく、最もリスクの低いグループ（ストレス以外になんの危険因子も持たない女性）にさえこうした影響が見られた、ということだろう。ストレスを抱えるこのグループの女性たちは、調査の期間中、よりストレスの少ない女性たちに比べて、心臓疾患で死ぬ率が二倍以上だったのである。

この結果とあなたの犬にはどんな関係があるのだろう？　人間と動物の間にある強い絆は、本格的な心理学的研究の対象となっている。こうした関係に健康効果があるという科学的証拠が最初に発表されたのは、今から約三〇年前、パデュー大学の心理学者、アラン・ベックと、ペンシルベニア大学の精神科医、アーロン・カッチャーが、人なつこくて馴れた犬を人間が撫《な》でたときに何が起きるかを計測したときのことだ。血圧が下がり、脈拍が遅くなり、呼吸がより規則的になり、筋肉の緊張が緩んだのである――どれも、ストレス軽減の印だ。

『Journal of Psychosomatic Medicine（心身医学ジャーナル）』誌に発表されたある研究は、これらの効果を裏づけただけでなく、血液成分の変化を示してみせた。コルチゾールなどの、ストレスに関連したホルモンがより少ないことを明示したのである。こうした効果は無意識のうちに起き、ストレスを受けている側はどんな意識的な努力も訓練も必要としないようだった。最も驚くべきは、こうしたポジティブな心理学的効果が、犬と五分から二四分間交流を持っただけで得られたということだろう。ストレス軽減のためのどんな薬より、効果が出るのがはるかに早い。ストレスやうつ病に処方される、プロザックのような薬と比較してみよう。そうした薬は、体内の、神経伝達物質セロトニンの量を変化させるが、ポジティブな効果が表われるには数週間もかかる。しかも、そうやって長期間かかって高められたストレス抵抗性は、薬をほんの二、三回摂りそこなっただけでなくなってしまう。それとは対照的に、犬を撫でることの効果はほぼ即時に表われ、いつでもそれを行なうことが可能だ。

現在では、ペットを飼うことは心臓の健康に良く、生活の質を向上させ、長生きさせてくれる可能性があるということを実証する大きなデータベースがある。その効果はその場だけのものではない——犬がストレスを軽減してくれるのは犬がその場にいるときだけではなく、しかもその効果は蓄積するらしいのだ。たとえば、オーストラリアのメルボルンで五七四一人を対象として行なわれた調査によれば、ペットを飼っている人とそうでない人では、喫煙や高脂肪の食事など不健康な生活をしているという点では同じでも、ペットがいる人の方が血圧もコレステロール値も低かったのである。

米国心臓協会の学術会議で発表された非常に興味深い研究は、生活にペットが加わることがいかに健康の助けになるかを示している。研究の対象は、株の取引を職業とする男女のグループで、すでにストレスの影響が表われ始めており、血圧を下げるための投薬治療を検討中の人たちだった。研究者らはまず、被験者に時間制限のある計算問題をさせたり、ばつの悪い立場をうまいことを言って切り抜けるという場面をロールプレイしてもらうなど、ストレスのかかる状況下での血圧を測った。こうしたストレスのかかる課題を与えられた被験者の平均血圧は、上が一八四、下が一二九と高かった（一四九／九〇を超える血圧は高いと見なされる）。

次に被験者の一人ひとりに同じ薬が処方され、半数は犬または猫をペットとして飼うことに同意した。

六か月後、彼らは呼び戻されて、ストレス下で課題を行なうテストを再度受けた。ペットを飼い始めた被験者は、テストを受ける間、ペットをそばに置いておくことを許され、彼らの血圧の上昇率は、投薬治療のみを受けているグループの半分にすぎなかったのである。

すでに心臓疾患の兆候が見られるようになってからでも、ペットを飼うことは助けになる。『American Journal of Cardiology（米国心臓病学ジャーナル）』誌で発表された面白い研究では、心臓発作で入院した四〇〇人を超える患者の退院後を追跡調査した。退院の一年後、ペットを飼っている人の生存率は、飼っていない人よりも有意に高かったのだ。

結局、ストレスや、長期間にわたるストレスが原因の心疾患に対処するには、薬やさまざまな治療法よりも、犬を飼う方がより気持ちが良いし効果的な方法だと思われる。あなたの犬はひょっとすると、歩くプロザックかもしれない。

索　引

世界の犬種一覧

国際畜犬連盟は、Fédération Cynologique Internationale というフランス語名で最もよく知られており、略して FCI という。ここには、国際的に認められた犬種を集めた最大の登記簿がある。これを書いている時点で、FCI が公認する犬種は 339 種あり、犬の飼育目的や機能、あるいは外見やサイズによって、以下の 10 個のグループに分けられている。

1. スイス・キャトル・ドッグを除く牧羊犬および牧畜犬（他のケネルクラブが「ハーディング・ドッグ」と分類する犬種のほとんどはこのグループに含まれる）
2. ピンシャーおよびシュナウザー、モロシアン犬種、スイス・マウンテン・ドッグおよびスイス・キャトル・ドッグ、関連犬種（他のケネルクラブのほとんどが「マスティフ」と分類する犬種はモロシアン犬種に含む）
3. テリア
4. ダックスフント
5. スピッツと原始犬
6. 嗅覚ハウンドと関連犬種
7. ポインターとセター
8. レトリーバー、フラッシング・ドッグ、ウォーター・ドッグ
9. コンパニオン・ドッグとトイ・ドッグ
10. 視覚ハウンド

それぞれのグループがさらに犬種によるサブグループに分けられ、次頁からの一覧表が示す通り、それぞれの犬種に原産国が割り当てられている。表示されている原産国はその犬種が発祥した土地とは限らないが、通常は、その犬種を最初に認知し、犬種として登記した国であり、現在は、その犬種の「犬種標準」（その犬種が持つべき理想的な特徴）を決める畜犬団体がその国にある。おそらく、この一覧表には意外に思うところもあるだろう。たとえば、オーストラリアン・シェパードがじつはアメリカで作られた犬種だったり、ファラオ・ハウンドが、エジプトではなくマルタで生まれたものであることなどだ。また、フランス、ドイツ、イギリスの３か国で作られた犬種が、残りのほぼ全地域で作られた犬種の数を上回るということもおわかりだろう。

国際畜犬連盟に公認された犬種一覧

◉アイスランド
アイスランド・シープドッグ（北方系番犬／牧畜犬）
◉アイルランド
アイリッシュ・ウォーター・スパニエル（ウォーター・ドッグ）
アイリッシュ・ウルフハウンド（長毛の視覚ハウンド）
アイリッシュ・グレン・オブ・イマール・テリア（大型／中型テリア）
アイリッシュ・セター（セター）
アイリッシュ・テリア（大型／中型テリア）
アイリッシュ・レッド・アンド・ホワイト・セター（セター）
ケリー・ブルー・テリア（大型／中型テリア）
ソフトコーテッド・ウィートン・テリア（大型／中型テリア）
◉アナトリア
アナトリアン・シェパード・ドッグ（山岳型マスティフ）
◉アフガニスタン
アフガン・ハウンド（長毛の視覚ハウンド）
◉アメリカ
アメリカン・ウォーター・スパニエル（ウォーター・ドッグ）
アメリカン・コッカー・スパニエル（フラッシング・ドッグ）
アメリカン・スタッフォードシャー・テリア（ブル型テリア）
アメリカン・フォックスハウンド（大型嗅覚ハウンド）
アラスカン・マラミュート（北方系そり犬）
オーストラリアン・シェパード（牧羊犬）
シベリアン・ハスキー（北方系そり犬）
チェサピーク・ベイ・レトリーバー（レトリーバー）
トイ・フォックス・テリア（トイ・テリア）
ブラック・アンド・タン・クーンハウンド（大型嗅覚ハウンド）
ボストン・テリア（コンパニオン・ドッグ／トイ・ドッグ）
◉アルゼンチン
ドゴ・アルヘンティーノ（マスティフ）
◉イギリス
イングリッシュ・コッカー・スパニエル（フラッシング・ドッグ）
イングリッシュ・スプリンガー・スパニエル（フラッシング・ドッグ）
イングリッシュ・フォックスハウンド（大型嗅覚ハウンド）
イングリッシュ・ポインター（ポインター）
ウィペット（短毛の視覚ハウンド）
ウエスト・ハイランド・ホワイト・テリア（小型テリア）

ウェルシュ・コーギー・カーディガン（牧羊犬）
ウェルシュ・コーギー・ペンブローク（牧羊犬）
ウェルシュ・スプリンガー・スパニエル（フラッシング・ドッグ）
ウェルシュ・テリア（大型／中型テリア）
エアデール・テリア（大型／中型テリア）
オールド・イングリッシュ・シープドッグ（牧羊犬）
オッターハウンド（大型嗅覚ハウンド）
カーリーコーテッド・レトリーバー（レトリーバー）
キャバリア・キング・チャールズ・スパニエル（コンパニオン・ドッグ／トイ・ドッグ）
キング・チャールズ・スパニエル（コンパニオン・ドッグ／トイ・ドッグ）
クランバー・スパニエル（フラッシング・ドッグ）
グレーハウンド（短毛の視覚ハウンド）
ケアーン・テリア（小型テリア）
ゴードン・セター（セター）
ゴールデン・レトリーバー（レトリーバー）
サセックス・スパニエル（フラッシング・ドッグ）
シーリハム・テリア（小型テリア）
シェットランド・シープドッグ（牧羊犬）
スカイ・テリア（小型テリア）
スコティッシュ・テリア（小型テリア）
スタッフォードシャー・ブル・テリア（ブル型テリア）
スムース・コリー（牧羊犬）
ダンディ・ディンモント・テリア（小型テリア）
ディアハウンド（長毛の視覚ハウンド）
トイ・マンチェスター・テリア（黒と茶）（トイ・テリア）
ノーフォーク・テリア（小型テリア）
ノーリッチ・テリア（小型テリア）
パーソン・ラッセル・テリア（大型／中型テリア）
パグ（コンパニオン・ドッグ／トイ・ドッグ）
バセット・ハウンド（小型嗅覚ハウンド）
ハリア（中型嗅覚ハウンド）
ビアデッド・コリー（牧羊犬）
ビーグル（小型嗅覚ハウンド）
フィールド・スパニエル（フラッシング・ドッグ）
フォックス・テリア（２種）
　スムース（大型／中型テリア）
　ワイアー（大型／中型テリア）

フラットコーテッド・レトリーバー（レトリーバー）
ブル・テリア（２種）
　　ミニチュア（ブル型テリア）
　　スタンダード（ブル型テリア）
ブルドッグ（マスティフ）
ブルマスティフ（マスティフ）
ベドリントン・テリア（大型／中型テリア）
ボーダー・コリー（牧羊犬）
ボーダー・テリア（大型／中型テリア）
マスティフ（マスティフ）
マンチェスター・テリア（大型／中型テリア）
ヨークシャー・テリア（トイ・テリア）
ラフ・コリー（牧羊犬）
ラブラドール・レトリーバー（レトリーバー）
レークランド・テリア（大型／中型テリア）
◉イスラエル
カナーン・ドッグ（原始犬）
◉イタリア
イタリアン・グレーハウンド（短毛の視覚ハウンド）
イタリアン・コルソ・ドッグ（マスティフ）
イタリアン・ショートヘアード・ハウンド（中型嗅覚ハウンド）
イタリアン・ポインティング・ドッグ（大陸型ポインティング・ドッグ）
イタリアン・ボルピノ（ヨーロッパ・スピッツ）
イタリアン・ワイアーヘアード・ポインティング・ドッグ（グリフォン型ポインター）
チルネコ・デル・エトナ（原始犬／猟犬）
ナポリタン・マスティフ（マスティフ）
ベルガマスコ（牧羊犬）
ボロニーズ（コンパニオン・ドッグ／トイ・ドッグ）
マレンマ・シープドッグ（牧羊犬）
ロマーニョ・ウォーター・ドッグ（ウォーター・ドッグ）
◉オーストラリア
オーストラリアン・キャトル・ドッグ（牧畜犬）
オーストラリアン・ケルピー（牧羊犬）
オーストラリアン・シルキー・テリア（トイ・テリア）
オーストラリアン・スタンピーテイル・キャトル・ドッグ（牧畜犬）
オーストラリアン・テリア（小型テリア）
ジャック・ラッセル・テリア（小型テリア）

◉オーストリア

アルペン・ダックスブラッケ（リーシュ・ハウンド）
オーストリアン・ピンシャー（ピンシャー）
オーストリアン・ブラック・アンド・タン・ハウンド（中型嗅覚ハウンド）
スティリッシャー・ラフヘアード・マウンテン・ハウンド（中型嗅覚ハウンド）
ティロリアン・ハウンド（中型嗅覚ハウンド）

◉オランダ

ヴェッターフーン（ウォーター・ドッグ）
コーイケルホンディエ（フラッシング・ドッグ）
サーロス・ウルフホンド（牧羊犬）
シュタバイフーン（スパニエル型ポインター）
スハペンドゥス（牧羊犬）
ダッチ・シェパード・ドッグ（牧羊犬）
ダッチ・スモースフント（スモースフント）
ドレンチェ・パードリッジ・ドッグ（スパニエル型ポインター）

◉カナダ

ニューファンドランド（山岳型マスティフ）
ノヴァ・スコシア・ダック・トーリング・レトリーバー（レトリーバー）

◉韓国

珍島（コリア・ジンドー・ドッグ）（アジア原産スピッツ）

◉ギリシャ

ヘレニック・ハウンド（中型嗅覚ハウンド）

◉グリーンランド

グリーンランド・ドッグ（北方系そり犬）

◉クロアチア

イストリアン・ハウンド（２種）
　ラフコーテッド（中型嗅覚ハウンド）
　スムースコーテッド（中型嗅覚ハウンド）
クロアチアン・シープドッグ（牧羊犬）
サヴァ・ハウンド（中型嗅覚ハウンド）
ダルメシアン（嗅覚ハウンド）

◉ジンバブエ

ローデシアン・リッジバック（原始犬／リッジバック）

◉スイス

アッペンツェル・キャトルドッグ（スイス・マウンテン・ドッグ）
エントレブッフ・キャトルドッグ（スイス・マウンテン・ドッグ）
グレート・スイス・マウンテン・ドッグ（スイス・マウンテン・ドッグ）

スイス・ハウンド（4種）
　バーニーズ・ハウンド（中型嗅覚ハウンド）
　ブルーノ・ジュラ・ハウンド（中型嗅覚ハウンド）
　ルツェルン・ハウンド（中型嗅覚ハウンド）
　シュヴィーツ・ハウンド（中型嗅覚ハウンド）
スモール・スイス・ハウンド（4種）
　バーニーズ・バセット（小型嗅覚ハウンド）
　ブルーノ・ジュラ・バセット（小型嗅覚ハウンド）
　ルツェルン・バセット（小型嗅覚ハウンド）
　シュヴィーツ・バセット（小型嗅覚ハウンド）
セント・バーナード（山岳型マスティフ）
バーニーズ・マウンテン・ドッグ（スイス・マウンテン・ドッグ）

◉スウェーデン

シラー・ハウンド（中型嗅覚ハウンド）
スウェーディッシュ・ヴァルフント（北方系番犬／牧畜犬）
スウェーディッシュ・エルクハウンド（北方系猟犬）
スウェーディッシュ・ラップフンド（北方系番犬／牧畜犬）
スモーランド・ハウンド（中型嗅覚ハウンド）
ドレーファー（小型嗅覚ハウンド）
ノルボッテン・スピッツ（北方系猟犬）
ハミルトン・ハウンド（中型嗅覚ハウンド）

◉スペイン

イビザン・ハウンド（原始犬／猟犬）
カタロニアン・シープドッグ（牧羊犬）
カ・デ・ブー（マスティフ）
スパニッシュ・ウォーター・ドッグ（ウォーター・ドッグ）
スパニッシュ・グレーハウンド（短毛の視覚ハウンド）
スパニッシュ・ハウンド（中型嗅覚ハウンド）
スパニッシュ・ポインター（大陸型ポインティング・ドッグ）
スパニッシュ・マスティフ（山岳型マスティフ）
ドゴ・カナリオ（マスティフ）
ピレニアン・マスティフ（山岳型マスティフ）
ポデンコ・カナリオ（原始犬／猟犬）
マジョルカ・シェパード・ドッグ（牧羊犬）

◉スロバキア

スロバキアン・チュバック（牧羊犬）
スロバキアン・ハウンド（中型嗅覚ハウンド）
スロバキアン・ラフヘアード・ポインター（グリフォン型ポインター）

ブラック・ロシアン・テリア（大型／中型テリア）
◉**スロベニア**
カルスト・シェパード・ドッグ（山岳型マスティフ）
◉**セルビア**
サルプラニナック（山岳型マスティフ）
セルビアン・トライカラー・ハウンド（中型嗅覚ハウンド）
セルビアン・ハウンド（中型嗅覚ハウンド）
◉**タイ**
タイ・リッジバック・ドッグ（原始犬／リッジバック）
◉**チェコスロバキア**
チェコスロバキアン・ウルフドッグ（牧羊犬）
チェスキー・テリア（小型テリア）
チェスキー・フォーセク（グリフォン型ポインター）
◉**地中海西部**
ハバニーズ（コンパニオン・ドッグ／トイ・ドッグ）
◉**チベット**
シー・ズー（コンパニオン・ドッグ／トイ・ドッグ）
チベタン・スパニエル（コンパニオン・ドッグ／トイ・ドッグ）
チベタン・テリア（コンパニオン・ドッグ／トイ・ドッグ）
チベタン・マスティフ（山岳型マスティフ）
ラサ・アプソ（コンパニオン・ドッグ／トイ・ドッグ）
◉**中央アフリカ**
バセンジー（原始犬）
◉**中央地中海地方**
マルチーズ（コンパニオン・ドッグ／トイ・ドッグ）
◉**中国**
シャー・ペイ（マスティフ）
チャイニーズ・クレステッド・ドッグ（２種）
　ヘアレス（コンパニオン・ドッグ／トイ・ドッグ）
　パウダーパフ（コンパニオン・ドッグ／トイ・ドッグ）
チャウ・チャウ（アジアン・スピッツ）
ペキニーズ（コンパニオン・ドッグ／トイ・ドッグ）
◉**中東**
サルーキ（長毛の視覚ハウンド）
◉**デンマーク**
オールド・デニッシュ・ポインター（大陸型ポインティング・ドッグ）
ブロホルマー（マスティフ）

◉**ドイツ**

アーフェンピンシャー（ピンシャー）
ウェストファリアン・ダックスブラッケ（小型嗅覚ハウンド）
カニーンヘン・ダックスフント（3種）
　スムースヘアード（ダックスフント）
　ワイアーヘアード（ダックスフント）
　ロングヘアード（ダックスフント）
クライナー・ミュンスターレンダー（スパニエル型ポインター）
グレート・デーン（マスティフ）
クロムフォルレンダー（コンパニオン・ドッグ／トイ・ドッグ）
ジャーマン・ウルフスピッツ（ヨーロッパ・スピッツ）
ジャーマン・シェパード・ドッグ（牧羊犬）
ジャーマン・ショートヘアード・ポインター（大陸型ポインティング・ドッグ）
ジャーマン・スパニエル（フラッシング・ドッグ）
ジャーマン・スピッツ（3種）
　グロース（大型のヨーロッパ・スピッツ）
　ミッテル（中型のヨーロッパ・スピッツ）
　クライン（小型のヨーロッパ・スピッツ）
ジャーマン・ハウンド（小型嗅覚ハウンド）
ジャーマン・ハンティング・テリア（ヤークト・テリア）
ジャーマン・ピンシャー（ピンシャー）
ジャーマン・ロングヘアード・ポインター（スパニエル型ポインター）
ジャーマン・ワイアーヘアード・ポインター（大陸型ポインティング・ドッグ）
ジャイアント・シュナウザー（シュナウザー）
スタンダード・シュナウザー（シュナウザー）
スタンダード・ダックスフント（3種）
　スムースヘアード（ダックスフント）
　ワイアーヘアード（ダックスフント）
　ロングヘアード（ダックスフント）
ドーベルマン（ピンシャー）
バヴァリアン・ハウンド（リーシュ・ハウンド）
ハノーヴァリアン・ハウンド（リーシュ・ハウンド）
プードル・ポインター（大陸型ポインティング・ドッグ）
ボクサー（マスティフ）
ホファヴァルト（山岳型マスティフ）
ポメラニアン（ヨーロッパ・スピッツ）

ミニチュア・シュナウザー（シュナウザー）
ミニチュア・ダックスフント（３種）
　スムースヘアード（ダックスフント）
　ワイアーヘアード（ダックスフント）
　ロングヘアード（ダックスフント）
ミニチュア・ピンシャー（ピンシャー）
ユーラシア（アジア原産スピッツ）
ラージ・ミュンスターレンダー（スパニエル型ポインター）
ランドシーア（山岳型マスティフ）
レオンベルガー（山岳型マスティフ）
ロットワイラー（マスティフ）
ワイマラナー（大陸型ポインティング・ドッグ）

◉日本

秋田（アジア原産スピッツ）
アメリカン・アキタ（アジア原産スピッツ）
甲斐（アジア原産スピッツ）
紀州（アジア原産スピッツ）
四国（アジア原産スピッツ）
柴（アジア原産スピッツ）
狆（コンパニオン・ドッグ／トイ・ドッグ）
土佐（マスティフ）
日本スピッツ（アジア原産スピッツ）
日本テリア（小型テリア）
北海道（アジア原産スピッツ）

◉ノルウェー

ノルウェイジアン・ルンデフンド（北方系猟犬）
ノルウェジアン・エルクハウンド・グレー（北方系猟犬）
ノルウェジアン・エルクハウンド・ブラック（北方系猟犬）
ノルウェジアン・ハウンド（中型嗅覚ハウンド）
ノルウェジアン・ブーフント（北方系番犬／牧畜犬）
ハルデン・ハウンド（中型嗅覚ハウンド）
ヒューゲン・ハウンド（中型嗅覚ハウンド）

◉ハンガリー

クーバース（牧羊犬）
コモンドール（牧羊犬）
トランシルバニアン・ハウンド（中型嗅覚ハウンド）
ハンガリアン・グレーハウンド（短毛の視覚ハウンド）
ハンガリアン・ビズラ（２種）

ショートヘアード（大陸型ポインティング・ドッグ）
ワイアーヘアード（大陸型ポインティング・ドッグ）
プーミー（牧羊犬）
プーリー（牧羊犬）
ムーディ（牧羊犬）

◉フィンランド

カレリアン・ベア・ドッグ（北方系猟犬）
フィニッシュ・スピッツ（北方系猟犬）
フィニッシュ・ハウンド（中型嗅覚ハウンド）
フィニッシュ・ラップ・ドッグ（北方系番犬／牧畜犬）
ラポニアン・ハーダー（北方系番犬／牧畜犬）

◉ブラジル

ブラジリアン・ガード・ドッグ（マスティフ）

◉フランス

アリエージュ・ポインター（大陸型ポインティング・ドッグ）
アリエージョワ（中型嗅覚ハウンド）
アルトワ・ハウンド（中型嗅覚ハウンド）
アングロ・フランセ・ドゥ・プティット・ヴェヌリー（ミディアム・サイズ・アングロ・フレンチ・ハウンド）（中型嗅覚ハウンド）
オーヴェルニュー・ポインター（大陸型ポインティング・ドッグ）
ガスコン・サントンジョワ（中型嗅覚ハウンド）
グラン・ガスコン・サントンジョワ（大型嗅覚ハウンド）
グラン・グリフォン・バンデーン（大型嗅覚ハウンド）
グラン・バセット・グリフォン・バンデーン（小型嗅覚ハウンド）
グラン・ブルー・ド・ガスコーニュ（大型嗅覚ハウンド）
グリフォン・ニヴェルネ（中型嗅覚ハウンド）
グリフォン・フォーブ・ド・ブルターニュ（中型嗅覚ハウンド）
グリフォン・ブルー・ド・ガスコーニュ（中型嗅覚ハウンド）
グレート・アングロ・フレンチ・トライカラー・ハウンド（大型嗅覚ハウンド）
グレート・アングロ・フレンチ・ホワイト・アンド・オレンジ・ハウンド（大型嗅覚ハウンド）
グレート・アングロ・フレンチ・ホワイト・アンド・ブラック・ハウンド（大型嗅覚ハウンド）
グレート・ピレニーズ（山岳型マスティフ）
サン・ジェルマン・ポインター（大陸型ポインティング・ドッグ）
バセー・アルティジャン・ノルマン（小型嗅覚ハウンド）
バセー・フォーブ・ド・ブルターニュ（小型嗅覚ハウンド）

バセー・ブルー・ド・ガスコーニュ（小型嗅覚ハウンド）
パピヨン（コンパニオン・ドッグ／トイ・ドッグ）
バルビー（ウォーター・ドッグ）
ビーグル・ハーリア（中型嗅覚ハウンド）
ピカルディ・シープドッグ（牧羊犬）
ピカルディ・スパニエル（スパニエル型ポインター）
ビション・フリーゼ（コンパニオン・ドッグ／トイ・ドッグ）
ビリー（大型嗅覚ハウンド）
ピレニアン・シープドッグ（牧羊犬）
ファーレーヌ（コンパニオン・ドッグ／トイ・ドッグ）
プードル（4種）
　スタンダード（コンパニオン・ドッグ／トイ・ドッグ）
　ミディアム（コンパニオン・ドッグ／トイ・ドッグ）
　ミニチュア（コンパニオン・ドッグ／トイ・ドッグ）
　トイ（コンパニオン・ドッグ／トイ・ドッグ）
ブービエ・デ・アルデンヌ（牧畜犬）
ブービエ・デ・フランダース（牧畜犬）
プチ・バセット・グリフォン・バンデーン（小型嗅覚ハウンド）
プチ・ブルー・ド・ガスコーニュ（小型嗅覚ハウンド）
ブラク・フランセ・ガスコーニュタイプ（大陸型ポインティング・ドッグ）
ブラク・フランセ・ピレネータイプ（大陸型ポインティング・ドッグ）
ブリアード（牧羊犬）
ブリケ・グリフォン・バンデーン（中型嗅覚ハウンド）
ブリタニー・スパニエル（スパニエル型ポインター）
ブルー・ピカルディ・スパニエル（スパニエル型ポインター）
ブルボネ・ポインター（大陸型ポインティング・ドッグ）
フレンチ・スパニエル（スパニエル型ポインター）
フレンチ・トライカラー・ハウンド（大型嗅覚ハウンド）
フレンチ・ブルドッグ（コンパニオン・ドッグ／トイ・ドッグ）
フレンチ・ホワイト・アンド・オレンジ・ハウンド（大型嗅覚ハウンド）
フレンチ・ホワイト・アンド・ブラック・ハウンド（大型嗅覚ハウンド）
ボースロン（牧羊犬）
ポルスレーヌ（中型嗅覚ハウンド）
ポワトヴァン（大型嗅覚ハウンド）
ポン・オードメル・スパニエル（スパニエル型ポインター）
ローシェン（コンパニオン・ドッグ／トイ・ドッグ）
ワイアーヘアード・ポインティング・グリフォン（グリフォン型ポインター）

◉ペルー

ペルービアン・ヘアレス・ドッグ（原始犬）

◉ベルギー

プチ・ブラバンソン（コンパニオン・ドッグ／トイ・ドッグ）
ブラッドハウンド（大型嗅覚ハウンド）
ブリュッセル・グリフォン（コンパニオン・ドッグ／トイ・ドッグ）
ベルジアン・グリフォン（コンパニオン・ドッグ／トイ・ドッグ）
ベルジアン・シェパード・ドッグ（４種）
　グローネンダール（牧羊犬）
　ラケノア（牧羊犬）
　マリノア（牧羊犬）
　タービュレン（牧羊犬）

◉ポーランド

タトラ・シェパード・ドッグ（牧羊犬）
ポリッシュ・グレーハウンドまたはシャルト・ポルスキー（短毛の視覚ハウンド）
ポリッシュ・ハウンド（中型嗅覚ハウンド）
ポリッシュ・ローランド・シープドッグ（牧羊犬）

◉ボスニア

ボスニアン・ラフヘアード・ハウンド（中型嗅覚ハウンド）

◉ポルトガル

アレンティジョ・マスティフ（山岳型マスティフ）
エストレラ・マウンテン・ドッグ（山岳型マスティフ）
カオ・デ・フィラ・デ・サン・ミゲル（マスティフ）
カストロ・ラボレイロ・ドッグ（山岳型マスティフ）
ポーチュギーズ・ウォーター・ドッグ（ウォーター・ドッグ）
ポーチュギーズ・シープドッグ（牧羊犬）
ポーチュギーズ・ポインター（大陸型ポインティング・ドッグ）
ポデンゴ・ポルトゥゲス（原始犬／猟犬）

◉マダガスカル

コトン・ド・テュレアール（コンパニオン・ドッグ／トイ・ドッグ）

◉マリ

アザワク（短毛の視覚ハウンド）

◉マルタ

ファラオ・ハウンド（原始犬）

◉メキシコ

チワワ（２種）
　ショートヘアード（コンパニオン・ドッグ／トイ・ドッグ）

ロングヘアード（コンパニオン・ドッグ／トイ・ドッグ）
メキシカン・ヘアレス・ドッグ（原始犬）

◉モロッコ

アイディ（山岳型マスティフ）
スルーギまたはアラビアン・グレーハウンド（短毛の視覚ハウンド）

◉モンテネグロ

モンテネグリン・マウンテン・ドッグ（中型嗅覚ハウンド）

◉ロシア

イースト・シベリアン・ライカ（北方系猟犬）
ウエスト・シベリアン・ライカ（北方系猟犬）
コーカシアン・シェパード・ドッグ（山岳型マスティフ）
サウス・ロシアン・シープドッグ（牧羊犬）
サモエド（北方系そり犬）
セントラル・アジア・シェパード・ドッグ（山岳型マスティフ）
ボルゾイ（長毛の視覚ハウンド）

注記：この一覧は、Fédération Cynologique Internationale（国際畜犬連盟：http://www.fci.be）による命名にもとづいている。

参考文献

ここにあげるのは、本書に書かれたことの出典の一部である。本書で引用した内容を出発点として、読者が、興味のある研究についてさらに調べられるよう、可能なかぎりの資料をあげるよう努めた。同一の研究でも、再版や、より版の新しいものから引用した場合には、最初の版ではなく新しいものをあげた。また、本書で触れた題材の一部について、より詳述し、完全な参考文献目録を含む、本書以外の私の著作の一部もあげてある。

B. Adams, A. Chan, H. Callahan, and N. W. Milgram. "The Canine as a Model of Human Cognitive Aging: Recent Developments." *Progress in Neuro-Psychopharmacology & Biological Psychiatry* 24 (2000): 675–92.

E. Adamson, R. G. Beauchamp, M. H. Bonham, S. Coren, M. Fields-Babineau, S. Hodgson, C. Isbell, S. McCullough, G. Spadafori, J. Volhard, W. Volhard, C. Walkowicz, and M. C. Zink. *Dogs All-in-One for Dummies* (Hoboken, NJ: Wiley, 2010).

P. Bateson. "Assessment of Pain in Animals." *Animal Behavior* 42 (1991): 827–39.

G. K. Beauchamp and L. Bartoshuk. *Tasting and Smelling* (San Diego: Academic Press, 1997).

A. M. Beck and A. Y. Katcher. "A New Look at Pet-Facilitated Therapy." *Journal of the American Veterinary Medical Association* 184 (1984): 414–21.

M. Bekoff, C. Allen, and G. M. Burghardt. *The Cognitive Animal: Empirical and Theoretical Perspectives on Animal Cognition* (Cambridge, MA: MIT Press, 2002).

R. E. Brown and D. W. Macdonald. *Social Odours in Mammals* (New York: Clarendon Press, 1985).

W. E. Campbell. *Behavior Problems in Dogs* (Santa Barbara, CA: American Veterinary Publications, 1975).

J. Church and H. Williams. "Another Sniffer Dog for the Clinic?" *Lancet* 358 (2001): 930.

K. M. Cole, and A. Gawlinski. "Animal-Assisted Therapy: The Human-Animal Bond." *AACN Clinical Issues* 11 (2000): 139–49.

J. J. Cooper, C. Ashton, S. Bishop, R. West, D. S. Mills, and R. J. Young. "Clever Hounds: Social Cognition in the Domestic Dog (*Canis familiaris*)." *Applied Animal Behavior Science* 81 (2003): 229–44.

R. Coppinger and L. Coppinger. *Dogs: A Startling New Understanding of Canine Origin, Behavior and Evolution* (New York: Scribner, 2001).

S. Coren. "Barks and Bites: Understanding Aggression—the Signs and Symp-

toms." *Dog Basics* 6, no. 1 (Spring 2010): 12–14.
S. Coren. "Behind Puppy Dog Eyes: Do You Have a Depressed Dog?" *Puppy and Dog Basics* 5, no. 2 (Fall 2009): 14–16.
S. Coren. "Clairvoyant Canines and Psychic Pooches." *Modern Dog* 3, no. 1 (Spring 2004): 24–28.
S. Coren. "Dogs and Your Health: The China Experiment." *Modern Dog* 8, no. 3 (Fall 2009): 98–100.
S. Coren. "Dogs, Sex and Mathematics." *AnimalSense* 10, no. 1 (Spring/Summer 2009): 22.
S. Coren. "Harmonious Hounds." *Modern Dog* 3, no. 2 (Summer 2004): 18–21.
S. Coren. *How Dogs Think: Understanding the Canine Mind* (New York: Free Press, 2004).
S. Coren. *How to Speak Dog: Mastering the Art of Dog-Human Communication* (New York: Free Press, 2000).
S. Coren. *The Intelligence of Dogs: Canine Consciousness and Capabilities* (New York: Free Press, 2006).
S. Coren. "Laughing Dogs: Does Your Dog Enjoy a Good Joke?" *Modern Dog* 2, no. 4 (Winter 2003): 26–30.
S. Coren. "Mathematical Mutts." *Modern Dog* 3, no. 4 (Winter 2004): 76–79.
S. Coren. *The Modern Dog* (New York: Free Press, 2008).
S. Coren. *The Pawprints of History: Dogs and the Course of Human Events* (New York: Free Press, 2002).
S. Coren. "Pill-Popping Pups: Mood-Altering Drugs and Our Dogs." *Modern Dog* 8, no. 1 (Spring 2009): 90–95.
S. Coren. "Venus, Mars or Pluto?" *Modern Dog* 2, no. 2 (Summer 2003): 30–33.
S. Coren. *Why Does My Dog Act That Way? A Complete Guide to Your Dog's Personality* (New York: Free Press, 2006).
S. Coren. *Why We Love the Dogs We Do* (New York: Free Press, 1998).
S. Coren and S. Hodgson. *Understanding Your Dog for Dummies* (Hoboken, NJ: Wiley, 2007).
V. Csányi. *If Dogs Could Talk* (New York: North Point Press, 2005).
C. Darwin. *The Expression of the Emotions in Man and Animals*, 3rd ed., with an introduction, afterword and commentaries by Paul Ekman (London: Harper Collins, 1998).
N. H. Dodman. *If Only They Could Speak* (New York: Norton, 2002).
J. Donaldson. *Oh Behave!: Dogs from Pavlov to Premack to Pinker* (Wenatchee, WA: Dogwise, 2008).
J. Donaldson. *Train Your Dog Like a Pro* (Hoboken, NJ: Howell, 2010).
D. U. Feddersen-Petersen. "Biology of Aggression in Domestic Dogs." *Deutsche*

Tieraerztliche Wochenschrift 108 (2001): 94–101.

J. C. Fentress. "The Covalent Animal: On Bonds and Their Boundaries in Behavioral Research." In *The Inevitable Bond: Examining Scientist-Animal Interactions*, edited by H. Davis and D. Balfour, 44–71. Cambridge University Press, Cambridge, 1992.

E. Friedmann, A. H. Katcher, J. J. Lynch, and S. A. Thomas. "Animal Companions and One-Year Survival of Patients after Discharge from a Coronary Care Unit." *Public Health Reports* 95 (1980): 307–12.

S. D. Gosling, V. S. Y. Kwan, and O. P. John. "A Dog's Got Personality: A Cross-Species Comparative Approach to Personality Judgments in Dogs and Humans." *Journal of Personality and Social Psychology* 85 (2003): 1161–69.

B. Hare, M. Brown, C. Williamson, and M. Tomasello. "The Domestication of Social Cognition in Dogs." *Science* 298 (2002): 1634–36.

B. L. Hart and L. A. Hart. "Selecting Pet Dogs on the Basis of Cluster Analysis of Breed Behavior Profiles and Gender." *Journal of the American Veterinary Medicine Association* 186 (1985): 1181–85.

H. E. Heffner. "Hearing in Large and Small Dogs: Absolute Thresholds and Size of the Tympanic Membrane." *Behavioral Neuroscience* 97 (1983): 310–18.

A. H. Katcher and A. M. Beck. "Dialogue with Animals." *Transactions & Studies of the College of Physicians of Philadelphia* 8 (1986): 105–12.

J. P. Keenan, G. C. Gallup, and D. Falk. *The Face in the Mirror: The Search for the Origins of Consciousness* (New York: HarperCollins, 2003).

R. L. Kitchell. "Taste Perception and Discrimination by the Dog." *Advances in Veterinary Science and Comparative Medicine* 22 (1976): 287–314.

S. R. Lindsay. *Handbook of Applied Dog Behavior and Training.* Vols. 1, *Adaptation and Learning*, and 2, *Etiology and Assessment of Behavior Problems* (Ames: Iowa State University Press, 2000).

P. B. McConnell. "Lessons from Animal Trainers: The Effect of Acoustic Structure on an Animal's Response." In *Perspectives in Ethology*, edited by P. Bateson and P. Kloffer, 165–87, New York: Plenum, 1990.

M. McCulloch, T. Jezierski, M. Broffman, A. Hubbard, K. Turner, and T. Janecki. "Diagnostic Accuracy of Canine Scent Detection in Early- and Late-Stage Lung and Breast Cancers." *Integrative Cancer Therapies* 5 (2006): 30–39.

T. E. McGill. "Amputation of Vibrissae in Show Dogs." *Animal Problems* 1 (1980): 359–61.

L. D. Mech. *The Wolf: The Ecology and Behavior of an Endangered Species* (Minneapolis: University of Minnesota Press, 1981).

P. E. Miller and C. J. Murphy. "Vision in Dogs." *Journal of the American Veterinary Medical Association* 207 (1995): 1623–34.

C. J. Murphy, K. Zadnik, and M. J. Mannis. "Myopia and Refractive Error in Dogs." *Investigative Ophthalmology & Visual Science* 33 (1992): 2459–63.

J. Neitz, T. Geist, and G. S. Jacobs. "Color Vision in the Dog." *Visual Neuroscience* 3 (1989): 119–25.

J. Newby. *The Animal Attraction: Humans and Their Animal Companions* (Sydney, Australia: ABC Books, 1999).

J. S. Odendaal. "Animal-Assisted Therapy—Magic or Medicine?" *Journal of Psychosomatic Research* 49 (2000): 275–80.

K. L. Overall. "Natural Animal Models of Human Psychiatric Conditions: Assessment of Mechanism and Validity." *Progress in Neuro-Psychopharmacology & Biological Psychiatry* 24 (2000): 727–76.

J. Page. *Dogs: A Natural History* (New York: Smithsonian Books, 2007).

P. Pongrácz, A. Miklósi, E. Kubinyi, J. Topául, and V. Csányi. "Interaction between Individual Experience and Social Learning in Dogs." *Animal Behavior* 65 (2003): 595–603.

K. M. Rogers. *First Friend* (New York: St. Martin's Press, 2005).

J. J. Sacks, L. Sinclair, J. Gilchrist, G. C. Golab, and R. Lockwood. "Breeds of Dogs Involved in Fatal Human Attacks in the United States between 1979 and 1998." *Journal of the American Veterinary Medical Association* 217 (2000): 836–40.

J. P. Scott and J. L. Fuller. *Genetics and the Social Behavior of the Dog* (Chicago: University of Chicago Press, 1965).

C. Short and A. V. Poznak. *Animal Pain* (New York: Strawson, 1992).

K. Svartberg and B. Forkman. "Personality Traits in the Domestic Dog (*Canis familiaris*)." *Applied Animal Behavior Science* 79 (2002): 133–55.

L. Watson. *Jacobson's Organ and the Remarkable Nature of Smell* (New York: Norton, 2000).

R. West and R. J. Young. "Do Domestic Dogs Show Any Evidence of Being Able to Count?" *Animal Cognition* 5 (2002): 183–86.

C. M. Willis, S. M. Church, C. M. Guest, W. A. Cook, N. McCarthy, A. J. Bransbury, M. R. Church, and J. C. Church. "Olfactory Detection of Human Bladder Cancer by Dogs: Proof of Principle Study." *British Medical Journal* 329 (2004): 712.

R. Wiseman, M. Smith, and J. Milton. "Can Animals Detect When Their Owners Are Returning Home? An Experimental Test of the 'Psychic Pet' Phenomenon." *British Journal of Psychology* 89 (1998): 453–62.

T. D. Wyatt. *Pheromones and Animal Behaviour: Communication by Smell and Taste* (New York: Cambridge University Press, 2003).

著者紹介

スタンレー・コレン (Stanley Coren)

1942年、米ペンシルベニア州フィラデルフィア生まれ。

ペンシルベニア大学卒業、スタンフォード大学で博士号取得。

現在、カナダ、ブリティッシュ・コロンビア大学心理学部の教授。

研究分野は、人間の感覚過程（視覚や聴覚)、神経心理学（利き手、睡眠、出生ストレス効果や行動遺伝学)、認知（情報処理知能）など幅広い。

また、犬の愛好家であり、犬の行動に関する研究も行なうかたわら、愛犬と一緒にカナダの数々の訓練競技会に参加し、多くの賞を得ている。

著書には、日本でもベストセラーになった『左利きは危険がいっぱい』『睡眠不足は危険がいっぱい』や、犬に関しては『デキのいい犬、わるい犬――あなたの犬の偏差値は?』『理想の犬の育て方』『犬があなたをこう変える』（すべて文藝春秋）など多数あり、全米ドッグ・ライターズ協会からマックスウェル賞を授与されている。

妻と3頭の犬とともに、ブリティッシュ・コロンビア州バンクーバーに住む。

訳者紹介

三木直子 (みき・なおこ)

東京生まれ。国際基督教大学教養学部語学科卒業。

外資系広告代理店のテレビコマーシャル・プロデューサーを経て、1997年に独立。

海外のアーティストと日本の企業を結ぶコーディネーターとして活躍するかたわら、テレビ番組の企画、クリエイターのためのワークショップやスピリチュアル・ワークショップなどを手掛ける。

訳書に『[魂からの癒し］ チャクラ・ヒーリング』（徳間書店)、『マリファナはなぜ非合法なのか?』『コケの自然誌』『ミクロの森』『斧・熊・ロッキー山脈』（以上、築地書館)、『アンダーグラウンド』（春秋社)、『ココナッツオイル健康法』（WAVE出版)、他多数。

犬と人の生物学
夢・うつ病・音楽・超能力

2014年6月 6日 初版発行
2014年8月18日 2刷発行

著者 スタンレー・コレン
訳者 三木直子
発行者 土井二郎
発行所 築地書館株式会社
東京都中央区築地 7-4-4-201 〒104-0045
TEL 03-3542-3731 FAX 03-3541-5799
http://www.tsukiji-shokan.co.jp/
振替 00110-5-19057
印刷・製本 シナノ印刷株式会社
装丁 吉野愛

ISBN 978-4-8067-1477-4 C0045

● 築地書館の本 ●

犬を飼う知恵

平岩米吉［著］
◉ 3 刷　1800 円+税

犬を飼う人、犬と接する人が必ず一度は目を通す名著。

生態学的・心理学的裏づけをもとに、犬を飼ううえでの大切な基本をすべて解説した本。

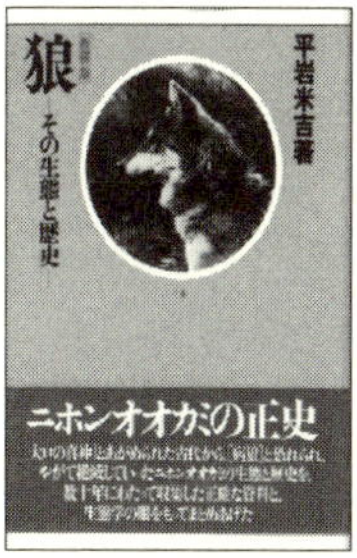

狼
その生態と歴史［新装版］

平岩米吉［著］
◉ 5 刷　2600 円 + 税

愛犬王、平岩米吉による名著。

イヌ科動物の研究で第一人者といわれる著者が数十年にわたって収集した資料と、狼と生活をともにした体験をもとに語る、ニホンオオカミの生態と歴史の集大成。

神格化された古代から、病狼と恐れられ、絶滅へと追いこまれていく歴史も詳述。


価格（税別）・刷数は 2014 年 8 月現在のものです。